あなたは
カモられて
いる？

「数字に弱い」日本人の超危険な生活

髙橋洋一×上念 司
Yoichi Takahashi　Tsukasa Jonen

ビジネス社

はじめに

多数のノーベル賞授賞者を排出していることで定評のあるドイツのマックス・プランク研究所・前所長のゲルト・ギーゲレンツァーが書いた『数字に弱いあなたの驚くほど危険な生活』という名著があります。10年以上前に出た本なのですが、この中で取り上げられた胸部マンモグラフィー検査の有効性を巡る問題は、そのまま無症状の人に新型コロナのPCR検査をして意味があるのかという問題そのものだったりします。他にもプロの投資家の組成した投資ファンドと素人の人気投票で組成したファンド、どっちのパフォーマンスが優れているかといった、非常に興味深い話にあふれていました。

私はかねてよりこの「日本版」を髙橋洋一先生に絶対にやっていただきたいと思っていました。タイトルはほぼそのままで、『「数字に弱い」日本人の超・危険な生活』。似たようなコンセプトでコロナ前に流行った「ファクトフルネス」の日本版とも言っていいでしょう。

私たちが当たり前だと思っていたことは意外と事実ではありません。例えば、資本主義によって人々は貧しくなっているかと思いきや、貧困の問題は劇的に解決していたりする。そういう意外な事実を知らぬまま、ステレオタイプなポリコレで世の中の問題を語ることの危険性はないでしょうか？

人類はコロナ禍を克服しつつありますが、パニックに陥ったマスコミが、今考えてみればデマに近いような情報を流していたことを忘れてはいけません。デマに惑わされないようにするためには教養が必要です。その教養とはまず事実を把握すること、そして、先行研究を知ることから始まります。

本書は専門知識のない方でも、問題の全体像を把握できるよう各章、各小見出しを立てさせていただきました。そのうえで、さらに詳しく知りたい人のニーズにも応えられるよう、参考データや文献もできる限り明示するよう配慮しております。本書がキッカケとなって、驚くほど危険な生活から一人でも多くの日本人が脱却することを希望してやみません。

2021年10月

上念司

『「数字に弱い」日本人の超・危険な生活』目次

第3章 コロナ後の日本を考察する

第4章

経済政策の裏側

第5章 少子・高齢化社会の真実

第6章 こんなにヤバイ日本の法律

第1章

コロナ感染症問題の嘘八百

PCR検査でゼロコロナを達成できる？

上念　それでは本章の初っ端、「PCR検査でゼロコロナを達成できると思っている人の驚くほど危険な生活」について、髙橋先生にお考えを伺います。

髙橋　これについては、そこそこ精度のある検査であれば、やっても悪くはないと思う。別にPCR検査などするなとは私は言わないし、できる範囲で検査するんだったら別に悪くはない。けれども、別にやったからといってだからどうなの？　という感じは否めない。

上念　そうですね。立憲民主党が「ウィズコロナからゼロコロナへ」という政策を掲げていて、感染を封じ込めるというところが1から6項目まであって、1の「当面の検査の拡大」がものすごく手厚く書いてある。

髙橋先生がおっしゃるように、検査は検査でしかありません。検査を拡大すると感染をゼロにできるとするロジックはどのように生じるんですかね。

私は『勝手に副音声』というYouTubeの企画で、この手のワイドショーをよく見ては批評しているんですが、テレビ朝日の正社員でコメンテーター・玉川徹氏はこんなことを言っています。「検査をすることで誰が感染しているかがわかる。わかったらそいつを隔離すればコロナは広がらない」という論法なのですね。

髙橋　それがね、まず隔離ができない。罹患した人を隔離することについては、余程の病気以外はできないでしょう。

これがとてつもなく毒性が強いとか、何かスペシャルな要因があれば別だけれど、いまのコロナのレベルだと罹患者の死ぬ確率が2%ぐらいの話でしょう。これで隔離政策をとったら、膨大な数の若い人を隔離しなきゃいけなくなって、隔離する側が大変なことになってしまう。

上念　でも玉川氏はウイグルの強制キャンプのような形で、検査陽性になったらすぐに隔離すべしと言っていました。

髙橋　（笑）だから、要は「私権制限」がどれだけできるかという話と結構裏腹になってくる。だって玉川氏は憲法改正に反対なんだろう？　私が「日本の緊急事態宣言の行動制限は緩くて〝屁〟みたいなもんだ」って言ったのは、実は私権制限ができないことを示したわけだよ。

だから、私権制限ができないし、欧米などのように外出禁止に罰則もない。強制力がまったく違うのだから、隔離などできるわけがない。日本では隔離がまずできないし、先にもふれたけれど、隔離を大々的にやったら、コロナに関係のない膨大な人たちをどこかに収容させなきゃならなくなって、社会問題になってしまう。彼は農学部出身だから、こういう理屈がわからないのかもしれない。

結局、普通の検査だと偽陽性が多すぎて、もう大変なことになってしまう。今の検査の感度のレベルならおそらく偽陽性は3割程度は出てしまうでしょう。

プロ野球の球団で選手を対象に検査したら、偽陽性反応者が多く出たけれど、結局、陽性ではなかったことが判明したよね。そういう話が幾度もあったから、隔離収容しなくなった。

上念 隔離収容したことで感染した、みたいなケースも出てきますからね。

髙橋 閉じ込めておいても出る。でも、何日間も隔離収容して陽性でなかったとき、隔離収容した側はいったい何て言い訳をするのかな。

上念 （笑）ちなみに私も現場のお医者さんの何人かに聞いたのですが、検査のカタログスペック以上に偽陽性というのは出るものだそうです。もともとそんなものなのですね、検査とは。人間ドックに入っても再検査してみてくれ、っていうのが多いですから。

ゲルト・ギーゲレンツァーが書いた『数字に弱いあなたの驚くほど危険な生活』という本のなかに、胸部マンモグラフィー検査の話が出てきます。そこでは、結局統計的にマンモグラフィー検査を受けても受けなくても、乳がんで死ぬ確率はほとんど変わらないという結論が出ているのに、なんであんな検査を受けるのでしょうか。

高橋 識別感度が低いやつだね。だからそれはマンモグラフィー検査自体の誤診率とか、そういうものが高いからということでしょう。

上念 ああ、なるほど。そもそも検査でコロナを封じ込めるのは無理だったんですね。

高橋 検査をしたってウイルスはちゃんと生きているしね。そうすると、人間の行動を制約させることが、コロナによる致死率を低めるために本当にどこまで必要かという話になる。それと同じロジックでいくと、インフルエンザでウイルスの陽性反応が出た人は全部隔離するかっていうと、しないでしょう? コロナだけを何か変に思っているんだよ。特別なものだと。

上念 昨年6月頃、英BBCが過去1年間の超過死亡を比較し、先進国で日本だけ死者が減ったと発表しています。超過死亡とは、感染症による死亡のみならず、すべての疾患死亡数が平年に比べて増減したかを示す指数のことです。日本の指数はマイナス1・4でした。結局コロナでの死者が増えた分だけ、肺炎やインフルエンザなどの死者数が極端に減ってしまったというオチですね。

高橋 それみたことか(笑)。これだけ衛生に留意するというか、きれいにしていたら、そもそもインフルエンザになど罹らないから。

上念　インフルエンザについては、特定の種類の株が絶滅したかもしれないと言われています。

髙橋　おそらく絶滅はしない。流行らないだけだと思うけれどね。地球上から絶滅することはほとんどないから、この手の話は。だから絶滅はないんだけど、もう流行らなければ無視してよろしいという世界になっているのかもしれない。

上念　そうするとテレ朝の玉川氏なんかは、検査でゼロコロナという政策がいかに危険なことかをあまりわからないで言っているわけですね。私権制限などさまざまな制約とかさまざまな問題についての知見も欠如しているし。実際に病気もなくならないし。

髙橋　だから、コロナだけをすごく怖がって特別扱いしたんだよ。まあ、検査して徹底的にやるっていうのは素朴な感情としては最初に出るんだけれどね。

上念　なるほど。それを1年以上、彼はテレビで吹聴していたわけで、なんて危険な連中なんですか（笑）。

髙橋　それはもう、1回言っちゃったから取り消せないでしょう（笑）。あのね、取り消せない人って危険だよ。さまざまな意見を聞いて、合理的に考えて自分の物言いを取り消す人のほうが健全です。

上念　そうですね。私も間違ったらなるべく早く訂正するようにしています。

髙橋 そうだよ。間違って早く訂正しなかったら、信憑性がなくなってしまうし、後で言いにくくなるでしょう。人間、誰でも間違いはあるよ。

私も先般のYouTubeに出演したときに、スタッフの人から「京都府が破綻するかもしれない」と言われたのをよく調べずにそのまま喋ってしまった。でも、それは「京都市」だった（笑）。破綻かどうかは、財務諸表を見ればわかるから。テレビの人たちはそうした基本情報を読めないので適当なことを話す。財務諸表を見てから、すぐに訂正したけれど、うっかりっていうのは誰にでもある。即時に直さないのはまずいけれど。

あとはデータ担当者は誤りに気づいたら、絶対に即、直さないとダメ。テレビは「データ担当」がいないから直さない。そもそも適当に話しているから、間違ったことさえ気がつかない（笑）。

日本の感染者数・死者数を世界と比較すると？

上念 日本のマスコミの連中は、日本が海外に比べて未だにコロナ対策が遅れている、あるいは、ワクチン敗戦国だとか言いまくっています。

髙橋 （笑）それは私の「さざ波」と関係していないかな？ 私などは「さざ波」と言

っただけで世間から怒られ、もう呆れ果てたよ。それでマスコミの常だけれど、データを見ないんだね。あとは英語を見ないんだ。今回も同様で、世界各国の感染者数を比較するグラフ、これが英語のデータだったわけ。

このデータはコロナが始まった頃からずっと私が根拠として挙げていたもので、もう呆れて話にならなかった。議論しても意味はないし、この人たちは英語がまず読めない。「daily confirmed cases」の意味が彼らにはわからなかった。confirm、つまり「感染した」という意味が多分わからなかった。英語ができないマスコミの人間ってやたら多いでしょう。

ついでに言うと、「さざ波」は一緒にテレビ出演していた元厚労省医系技官の木村盛世さんが番組のなかで言ってきたこと。私は感染者数の少なさに比べて医療崩壊する状況がおかしいのなら、五輪中止もおかしいと言っただけだよ。とにかく、言葉の一部だけ取り上げられ、ツイッターに一緒に上げたグラフは取り上げないのでは話にならない。

上念　マスコミの人間が英語を読めないことの話に戻すと、彼らはかなり偏差値の高い大学に入る際、難しい英語の入試を突破していたはずなのですが、なぜでしょうね。

髙橋　英語は年中読んでないと結構できなくなるものなんだよ。だから大学入試まではしっかりやっていても、それ以降はまともにやっていない可能性が高い。英語は普段から読

人口100万人当たりの新型コロナ死者数国際比較

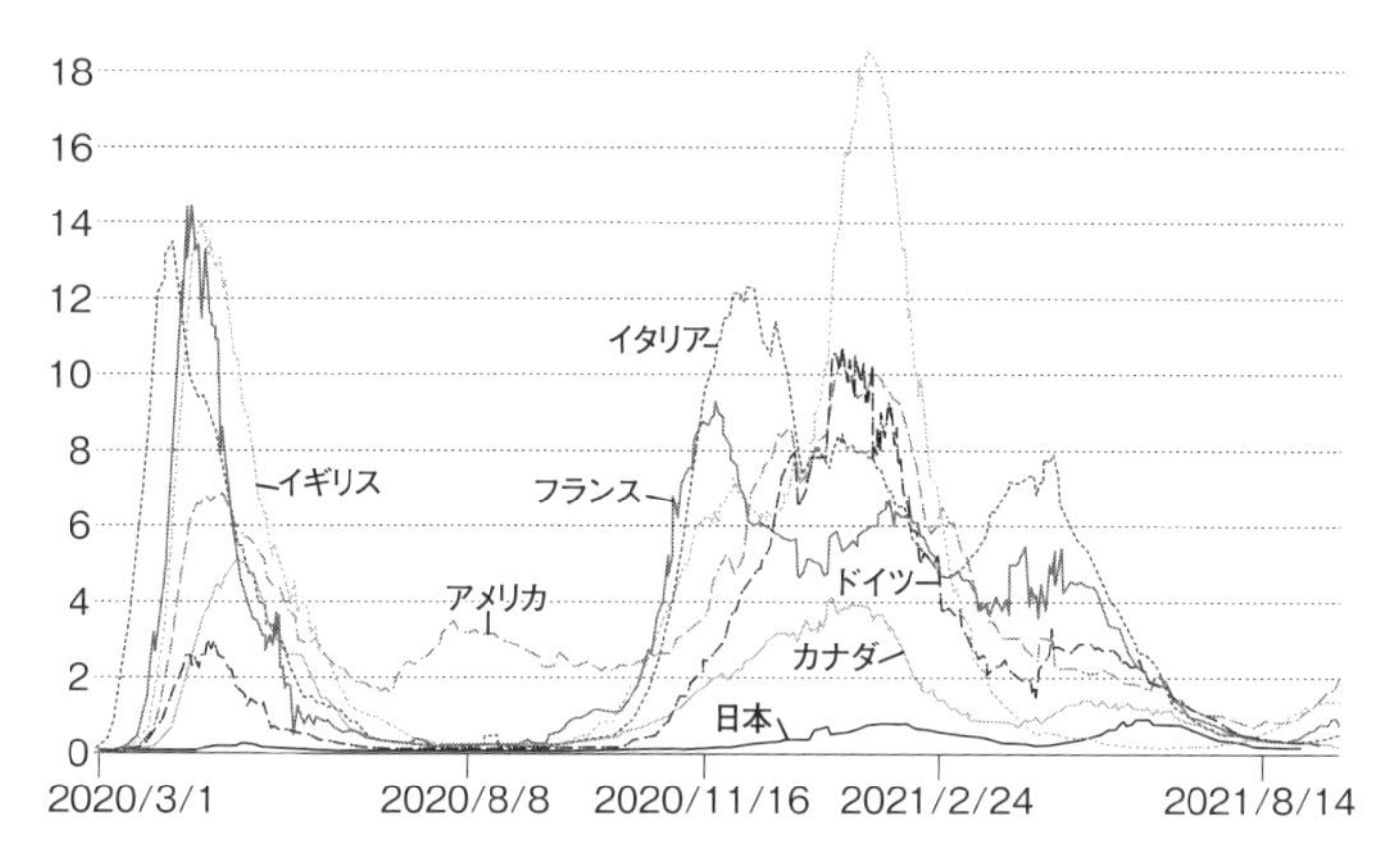

Source:Johns Hopkins University CSSE COVID-19 Data
（資料） https://ourworldindata.org/explorers/coronavirus-data-explorer

人口100万人当たりの新型コロナ新規感染者数の国際比較

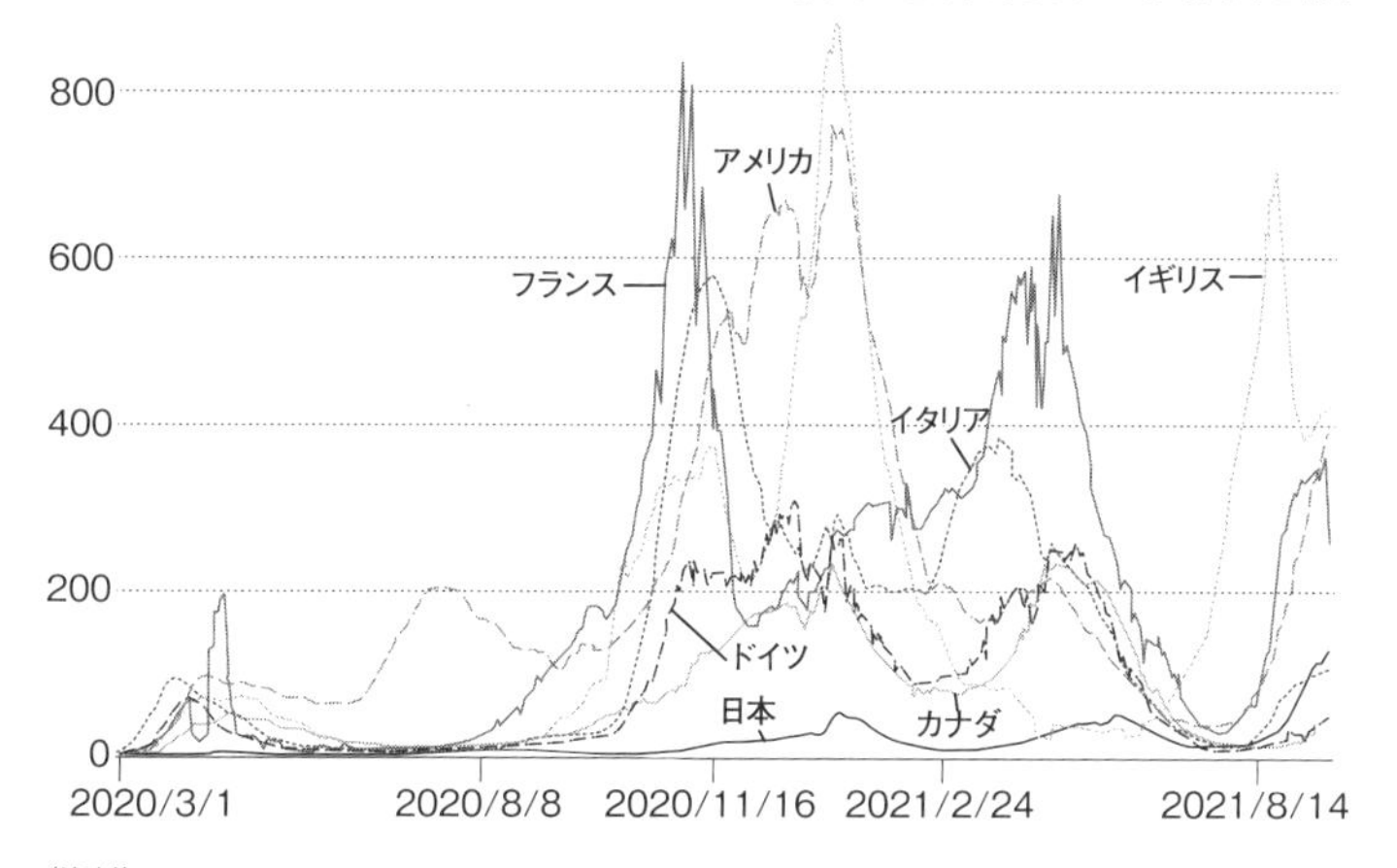

（資料） https://ourworldindata.org/explorers/coronavirus-data-explorer

んでいると、案外その力がそんなに衰えるものではないと思う。でも、読まなかったり触れなかったりすると、とたんに衰えるね。

上念 私もそう思います。私が留学したのは30年以上前ですけれど、いまだにさまざまなものを英語で調べたり、独り言を英語で言ったりとか、結構努力して英語力をキープできるようにしています。

ああ、だから、マスコミの連中は普段から英語を読まないので、英語のデータを示されても海外と比較ができなかった。そりゃそうですね。英語を読めなきゃ無理な話です（笑）。

髙橋 日本では日本の波だけがすごいと思っているんだろう。私などはとっさに海外と比較するのが習慣化されている。私が示すもので海外との比較が入ってないのはほとんどないぐらいだよ。

これは持論というか、海外を見なかったら話にならない。だから私はオリンピックみたいな話のときには、やっぱり世界の水準で、日本はどのレベルにあるのかといった視点でしか見ないよね。でも、私がそれを言うとマスコミが怒るでしょう。

上念 ええ、そうです。日本でオリンピック反対運動の真っ最中に、G7サミット（コーンウォール）を開催していたイギリスでは、サッカー欧州選手権に観客6万人超を入場させていました。

髙橋 イギリスはちょっと落ち着いたのだけれど、コーンウォールサミットあたりからまたちょっと増えてきた。でも、イギリス政府はそこは少し前と比べれば大したことない、というふうに受け止めているんだよ。

上念 ものすごく減ったときの6倍になったと、その6倍という数字だけが踊っていました。でも、ものすごく多かったときに比べれば桁が違います。だから、別にたいしたことはないと思っているわけですね。それはしょうがないでしょう。

髙橋 英語を読まない人は海外の実状についてまず知らない。だって情報が入ってこないじゃない。

上念 そうですね。日本で翻訳しているニュースは、みな切り取りみたいなものばかりですから。元の文を読んでみると、意味が違っているなんてことはよくあります。

髙橋 うん。まだ翻訳があればいいけれど。でも、ニュースを流す側も、ニュース全部を翻訳するわけにはいかないからね。

上念 マスコミはじめ海外の実状を捉えられない人たちは、日本のコロナ対策は手遅れだと信じ込んでいます。彼らは、日本はロックダウンができないのかとか、緊急事態をもっと延長しろとか、とんちんかんなことを言ってばかり。それで髙橋先生が「さざ波」と呟いたらギャーっと一斉に怒ってみたいな、そんな感じでしょうか?

髙橋　私が2回目のツイッターで、「日本の緊急事態宣言といっても、欧米から見れば、戒厳令でもなく『屁みたいな』ものでないのかな」と投稿した。その意味は、行動制限は全部数値化されているから、それから見れば日本は世界のマックスから半分ぐらいのレベルだから、たいしたことはないし、日本ではロックダウンはできない。だって日本にはロックダウンを行う憲法上の規定がなくそのために法規がないんだからね。それをやれと主張する輩が多いのには呆れた。結局、海外の事情を知らないということに尽きる。

上念　そういう連中が2015年の安保法制のときには「立憲主義に反して憲法違反である」とか言っていた。無茶苦茶ですよね。

髙橋　立憲主義が大切と言いながら、今は「超法規的措置をとれ」と言っているのに近いことを主張している。理論としては破綻している。わけがわからない。彼らは世界の情勢を、世界の常識を知らないから、平気で無茶苦茶を言える。

上念　そうですね。驚くほど危険な人々だと思います。

髙橋　危険でしょう。私などは誠実なほうです。今のようなとき、本当は憲法による緊急事態条項が必要で、そうでないと非常時には対応ができない。下手に対応すると超法規的措置で憲法を超えた話になるから危険だと言っているわけだから。私は非常に立憲的な人間ではないのか（笑）。

上念　ですよね。それを右翼だとかファシストだとかレイシストだとか、口を極めて罵るとんでもない連中がいる。

髙橋　信じられない。私自身は結構憲法の規定については重要で、憲法の規定なしに超法規的措置を濫発するのはあまり好ましくないと思っている。注射を薬剤師が打つとか、救命救急士が打つぐらいだったらまだしも……。

あれはマスコミは報道しませんが、法律違反は違反なのだけれど、医師法と言って、いわゆる業法の世界なのです。したがって、国民すべてに影響があるわけでなくて、ごく業界の一部に対してだけだから、まあ許される（笑）。

上念　なるほど。じゃあ、司法書士が弁護士の代わりをやってもいい、くらいの話なのですね。関係ないです。ぶっちゃけた話、ワクチンを打てればいいですから、私にとっては。

髙橋　今回は薬剤師の人がずいぶん感謝されているけれど、はっきり言えば、薬剤師と歯科医がちょっと注射を打ったところで、普通の人にはあまり関係ないともいえる。

一方でアメリカでは、もちろん医者も打てるのだけれど、ドラッグストアでも打ってくれる。あれは血管注射ではないから、比較的簡単なんだよね。血管注射は、なまはんかの腕では難しい。かなり経験を積まないと。でも、ワクチンのはただの筋肉注射だから、刺せばいいだけです。

上念　確かにね。アメリカのアクション映画などでは、撃たれた奴が、ドラッグストアに入って小型の手術キットみたいなものを使って、自分で手当てするシーンがあります。

髙橋　だから、比較的大丈夫な奴は大丈夫なのだと思う。はっきり言って、この程度のレベルの話でしょう（笑）。

ベッド数が世界有数の日本で、なぜ医療逼迫するのか？

上念　それに関連してちょっと医療業界の件でお聞きしたいことがあります。日本の国民皆保険は素晴らしく、ベッド数も世界で一番多いと思っていたら、今回、医療逼迫してしまった。これは「驚くほど危険な生活になっている」と思うのですが、いったい何が要因でこんなことになってしまったのでしょうか？

髙橋　今回は、はっきり言って日本医師会が駄目だった。要するに、医療逼迫を起こしてはならないと、昨年、2次補正予算を組んだ。2次補正で予備費をたっぷりつけて、コロナ専用病床対策強化のための予算もつけた。ところがそれをあまり使わなかったわけだ。それで予備費やコロナ対策強化の予算が余ってしまった。あれにはびっくりした。

上念　なぜ余らせてしまったのですか？

髙橋　一つの原因は、医師会でなく、厚労省や地方自治体の人があまり動かなかった。やっぱり、いったん感染者数が減ってきたときに大丈夫だと気が緩んだのではないかな。それで冬になってバーッと感染拡大したときには、もう手遅れになっていた。だから本来であれば、コロナ専用病床みたいなものが各地に設けられていたはずが、それができなかった。

上念　実は、熊本のある病院の院長さんに話を聞いたのですが、熊本市は済生会とか国立病院とか結構でっかいのがあるのですね。けれども、当時はこの二つがコロナ患者を全然受け入れなくて、市民病院ともう一つの病院が引き受けていたらしい。

髙橋　市民病院は、コロナ患者を民間病院では受け入れないことをある程度は予想していた。でも、医者や看護師の手当てなどが滞ったりして、公立病院は専用病床をあまりつくらなかった。もちろん民間病院のほうは、専用病床をつくらなくても病床が足りているのは知っていたのだけれど、あまり積極的には出てこなかった。それについては推測だけれど、日本医師会のほうが毛嫌いしたかもしれない。

当初は専用病床をつくってそこで患者を受け入れようと思っていたけれども、行政のほうから医師会のほうにはきっちりした権限はないよね。だから、医師会側からは積極的に発言できないし、公立病院の医師のほうも遠慮してしまったようだ。

上念　昨年の夏、「もうコロナは終わっただろう」みたいな感じで、ちょっと舐めていたんですね、きっと。でも、予算はたっぷりつけたのに医師会が動かなかった。再び同じことが起こったときには同じことが繰り返されるわけでしょうか？

髙橋　だから、憲法上は緊急事態条項のようなものを定めて、国立病院や公立病院に対して指揮命令ができるようにしないとダメだね。

上念　髙橋先生は真の意味で「護憲派」ですからね。でも相変わらず玉川徹氏みたいな人が、「予算をつけてやって、1年も待っても、コロナ病床がちっとも準備できないじゃないか」とか言っていました。

髙橋　指揮命令系統がないからそうなる。公立病院にはちょっとは促せるのだけれど、国立病院に対してはどうにもならない。緊急事態条項を設けて、「国防法」みたいなものがあると、いろんなことができる。ああいうのがないとやっぱり無理だね。

上念　なるほどね。これはちょっと驚くほど危険な生活のままですね、われわれ日本国の国民は。

髙橋　危険だよ。それと保守陣営の人たちがすぐに「鎖国しろ！」って言うでしょう。あれは無意味な発言なんだよ。なぜなら、鎖国しろって言われても、憲法上、鎖国ができきない（笑）。それが一番のネックになっている。鎖国に賛成、反対以前にできないんだよ。

上念 確かに、東京オリンピックの前にインドから来た人に対して行動制限できないといった国会答弁がありました。それも憲法に抵触するわけですね。

髙橋 そう、できないんだよ。しょうがない。要するに憲法で「移動の自由」があるから、それに触れることはできなくて、全部が要請ベースになってしまう。要請ベースなど知らんと突っ張られたら、どうしようもない。

憲法に移動の自由が謳ってある国が鎖国みたいに、本当にウイルスを持っているかどうかわからないのに全員を止めることは無理。上念さんは鎖国賛成派ではなかったの？

上念 鎖国に関しては、私はありだと思っていました。チャイナからの渡航制限をものすごく強く主張している人がいて、「それだったら鎖国しないと意味がないよ」と私は言っていたんです。正確に言うと。

髙橋 チャイナからの渡航制限に対しても、私の答えはやるべきだが、現状では「できない」となる（笑）。できないものはできないで、おしまい。ある程度すべきというか、そうできる権能があったら、いいなとは思ったよ。でも、日本の入国管理法ではできない。

上念 できない。そしてそれができない理由は、憲法がそれを禁じているからと。

髙橋 憲法の決めた範囲でしかできないから、憲法で移動の自由を決めている以上、それを制限できるという憲法上の規定が必要で、それに私権制限がある法律がなければ何もできない。

上念 なるほど。もしやるとしたら緊急事態条項を憲法に入れて、こういう緊急事態のときにはそれを制限してもいい、みたいなふうにしないとダメなんですね。

髙橋 だから、要するに憲法上の欠陥ということだよ。困ったことだけれど、実際そうだから。少し前に自民党の政調会長だった下村博文氏がやっぱり憲法改正が必要だと言ったでしょう。あれは、いま私が述べた私権制限がある法律についての話だった。「今度の衆議院選挙でこれについて議論しなかったらどうしようもないですよ」って、私は下村氏に促したけれどね。

「デルタ株」など変異株は本当に危ないのか?

上念 インド(デルタ)株の恐怖をマスコミが煽っていますが、変異株を怖がりすぎているのではないかと訝しんでいます。本当のところはどうなのでしょうか?

髙橋 遺伝子解析するとわかるけれど、変異株は月に2回程度は出てくるから、これまで何十種類も出てきているのではないかな。変異株は亜種だから、突然変異しない限りたいていは前のワクチンで効く。

一般論として言うと、ウイルスは自分が助かりたいから、変異するときにたいていは強毒性がなくなるものだ。したがって、感染率が高かったら致死率は下がる。

上念　そうですよね。マスコミは「デルタ株は感染率も高く、重症化率も高い」みたいな言い方をしていますが、本当に重症化率が高かったら、あまり感染しないで終わってしまいますよね。エボラ出血熱のときみたいに。

高橋　まったくそのとおり。そうした間違ったことを言及する人たちは、ウイルス感染症の基本理論をわかっていないね。私だって、もちろんデルタ株がまったく大丈夫というつもりはない。だから、変異株が出たときには毎回遺伝子解析をして注意している。繰り返しになるけれど、何回も何回も変異があっても亜種だということと、場合によって少しワクチンが効かなくなったときも、やはり亜種だから従来のワクチンから改良型をつくるのはさほど難しくはないでしょう。

上念　ちなみに私はこんなデータを持っています。デルタ株の件で、大阪における重症化率を調べたものです。デルタ株が多いか少ないかはちょっとわからないけれど、第3波と第4波を比較して、各年代で重症化率が少し上がっています。ただ、やはり年齢が低いほど重症化はしなくて、60代に比べると4分の1とか5分の1ぐらいしか重症化していません。

高橋　そうそう。基本的にはインフルエンザとほとんど一緒だから。インフルエンザが何型か毎年ちょっと違うという亜種のレベルだよ。だからワクチンをつくるのも、小さな修正でできるから、「来年のコロナは何型です」といった感じになるのではないのかな。インフルエンザの予防接種みたいに。だから、コロナのワクチンは毎年打つようになると思う。

上念　ああ、なるほど。でも、今回のコロナはインフルエンザよりも少し致死率が高いんですよね。

高橋　それはちょっと高いよ。だからみんな心配なんだ。ただ、際立って高いかというとそうでもない。致死率だとインフルエンザが0・1とか0・2とすると、その10倍の1とか2という数字になってくる。いちおう桁が一つ上になる。コロナの感染者はそんなに多くないから、死ぬ人の数は変わらない。

上念　インフルエンザほどの感染力はないのですね。そことの相殺で、死ぬ人の数はそんなに変わらない。

高橋　コロナを怖がる人の特色は、数字を見ないことでしょう。私などはリスクをすべて〝数値化〟している。そもそも数値化できることをリスクと言うわけだからね。みんな数値化して測っていないということなんだよ。

上念 その数値化の話でいうと、ワクチンを怖がっている人もいっぱいいます。あまり言いたくないですけれども、『虎ノ門ニュース』では反ワクチンを煽りまくっています。

髙橋 反ワクチンはどこの国にもいる。要するに異物は嫌だという人だよね。

上念 あれはもともと旧ソ連が西側諸国を混乱させるために流したデマなのですが、その本場のロシアで反ワクチンのすごい勢力が台頭してきて、ロシア政府もかなり困っているようです。

髙橋 反ワクチンと原発のゼロリスクの人は一部ではかなり重複している。要するに、プラス面の話とマイナス面の話を数量評価しない。その典型。たとえばワクチンを打つときに、ほんのわずかな人が亡くなるのは事実なんだ。まだ因果関係はよくわからないのだけれど、確実にほんのわずかは亡くなるんだよ。でも、ワクチンを打つことによって助かる確率が高いから打つ。ただそれだけの話。

それは検査のときも一緒ですよ。上念さんなんかまだ若いから、あまりやったことがないと思うけれど、検査をするときにいろいろな同意書に署名しなければならないわけ。同意書には数字が出てくるんだよ。こうした計算によって10万人あたり1人くらいが亡くなることがありますってね。

10万人に1人なんて難病みたいなものだから、まず当たらない。

上念　なるほど。得られるものが大きいと。

髙橋　得られるものと比較して、私などは判断している。だから、もしこれを徹底するとすれば、若い人でワクチンをリスク管理上打ちたくないというのはあり得るとは思う。だって若い人は死なないからね。

若い人は「それだったら打たないでいいや」と思ってしまう（笑）。あと説得するのは「家族はいるか」って、それだけだよ。「家族がいて家族にうつす可能性があるから」とね。

上念　実際に若い人で打ちたくないっていう人は多いみたいです。

髙橋　それは絶対に死なないからでしょう。罹ったところで死なないから。それに一人暮らしの人。そういう人で打たない人はいると思う。それはそれで合理的だよ。

上念　ゼロリスクとは違う合理的な判断。

髙橋　合理的だよ。反ワクチンの人は「ワクチンを打つな」と人をそそのかすでしょう。自分が打たなければいいだけの話。それで終わりにすればいい。

上念　私のツイッターフォロワーが言うには、『虎ノ門ニュース』がいま、反ワクチンの巣窟になっていて、武田邦彦氏が急先鋒で、百田尚樹氏も一緒になって煽っているとのことです。

髙橋　ツイッターでの情報について私は信じていないよ。本人が打たないのは自由だからいい。ただし、打たない人がリスクに晒される社会になるかもしれないことは考えておくべきでしょう。

というのは、そのうちに社会が変わって来て、ワクチンを打たない人が「差別」を受けるようになるかもしれないからね。「ワクチン接種済証明書」を示せない人は入店できないとか……そんな世の中になるかも（笑）。

上念　ちなみに髙橋先生、私は行動経済学のプロスペクト理論とゼロリスクには親和性があるように思っていました。だから、リスクを回避するために膨大なコストでも払ってしまう。

髙橋　だから、それは心理学的なところに傾斜して精確な数量計算ができていないのではないかな。はっきり言って、普通に合理的な行動をとる人からみれば、このゼロリスク理論はわかり得ないと思う。

感染1年でわかったキーになる数字と今後のコロナ対策

上念　さまざまな論文を読みましたが、今後のコロナ対策でキーになる数字はワクチンの接種と治療薬の開発しかないようですね。髙橋先生の持論も同様で、少なくともワクチンが効く限りは、それ以外のコロナ対策はないと言われています。ワクチン接種率が25%を超えると、感染率がだいぶ落ちるのですね。接種率が50%まで伸びると、さらにもう一段階落ちる。

髙橋　落ちる。25%ぐらいが接種をすると、抗体ができるから。おそらく、国民の50%、60%にならなくても結構感染率は落ちてしまう。上念さんがもう一段階と言ったけれど、これはグラジュアルなものだから、明確な段差があるわけではないと思う。だからワクチンを打てば、半年とか1年ぐらいは効きそうだから、その間は大丈夫。それで半年か1年で抗体が消えてしまえば再度打てばいい。年によって流行る株が違えば、それに応じて打つことになるのではないか。そうすると、インフルエンザと同じ対応になる。

上念　このペースで全国民のそれこそ80%、90%にワクチンを打つという感じだと、このまま薬剤師の人は永久に注射を打ち続けるというノリでないとダメですね（笑）。

髙橋　それはそれでいいのではないか。よく薬剤師の人からお礼を言われるんだけれど、別に私が一生懸命やったわけではない（笑）。

上念　これは医師法改正の必要があるのではないでしょうか？

髙橋 毎年ワクチン注射を打つのであれば、「特例措置で違法だけどもやります」では格好が悪いでしょう。毎年打つことが定着すれば、改正するでしょう。

上念 ワクチンの接種率をキープすること。この数字が今後の一番のキーになると考えていいわけですね。

髙橋 それはそうでしょう。反ワクチンの人は口をそろえて、副反応、反作用がナントカだとか姦しいけれどね。

もちろんワクチンを打つほうにはプラス・マイナスがある。ワクチンを打つのが怖いのはあるけれど、でもそれでも助かる命は大きい。そういう認識、受け止めが圧倒的に高いわけだよ。

上念 なるほど。『毎日新聞』あたりが、「ワクチンを打った後に亡くなった」とか言って前後関係と因果関係をわざと混同させ、国民をまたミスリードしようとしています。仮に因果関係のある人が10人亡くなったとして。このあたりはいかがですか？

髙橋 もう1000万人以上にワクチンを打っているでしょう。ということは、100万人に1人が死亡するわけで、滅多に当たらない（笑）。要は宝くじに当たるレベルよりも、可能性が低い。その手の話は止めたほうがいいよ。

それでもワクチンを打つのを怖がる人は、外にも出られず、自宅で鬱々として、フラストレーションを溜めて生活することになる。それでいいのか、という話だよ。

上念　むしろ『毎日新聞』はそういう世の中にしたいのではないでしょうか。

高橋　先にもふれたけれど、「ワクチン接種済証明書」制度にすれば、保有者は海外渡航オッケーになるし、飲み屋もオッケーになると思う。マジな話、ワクチンを打っていたら、マスクをしなくて済むようになる。まあ、海外はいずれそうなる。

ところで、百田さんの戦略は、みんなが打つことによって自分が助かりたいってやつでしょう？

上念　そうですね。フリーライダーみたいなものです。

高橋　そういう人は一定数いるんだよ。私は、それはそれで意見も非難もしないけれど。ただし、そういう人も海外渡航などでは制限があるようになるでしょうから、不自由はある。私などはそうした不自由をしたくないし、ワクチンを打ったのを自慢しているよ。

第2章

日本医師会と専門家の罪

〝いつ〟を示さない予測には意味がない

上念　本書では、YouTubeでやれないことを是非議論したいと思っています。

髙橋　企業コードで、YouTubeではワクチンの話をしてはいけないからね。

上念　PCR検査の「PCR」と言っただけでBANされてしまうとか、すごい状況になっています。本章ではさらに、コロナが今後どうなるのか。西浦教授よりも髙橋先生のほうがよく当ててらっしゃるので、是非、お聞きしたいです。

髙橋　でも私は最近、「あなたは予測を外したでしょう」と言われたね。知り合いのテレビ地上波番組のスタッフにだけれど、おそらくああいう人は数量的な問題についてよく理解していないのだろうなと思ったよ。

3ヵ月以上前の5月下旬に、私が数値計算した上でこう言ったわけ。7月下旬の東京五輪開催時7月23日にはいろんなシナリオがあるのだけれど、新規感染者が3000人から4500人になる可能性もあると言った。この手の予測においてはざっくり言ってしまうと意味が無いからね。

上念　たとえば、「いつか日本は破綻します」とか予測するのと同じですもんね。それでは。

髙橋　いつか日本は破綻しますもひどいけれど、いちばん簡単な予想は「今年の夏に台風が来る」ってやつだな。これはだいたい当たるんだよな（笑）。これは10年前に予想しても当たる。だから、予測というものは〝いつ〟を示さないかぎり意味が無いでしょう。しかしながら実際には、日時を特定する人などまずいない。つまり、予測の意味をわかっていないんだよ。

そこを私は計算上ピンポイントでしか言えないから、7月23日に新規感染者が3000人から4500人になる可能性があると予測したわけ。実際には3000人程度だった。その先については予測していない。なぜか。その当時私はレポートにこう書いていた。「実はこれからワクチン接種者が急増してきます。新規感染者は増えるのだけれど、一方で重症者、死者は減る。したがって、それから先を予測しても意味が無いので、ここで予測を打ち切ることにします」

前にも言ったけれど、だいたいド文系の人って、物事をフンワカと理解はする。でも、私みたいな「超理系人間」はフンワカとは理解しないんだよな。毎回モデルをつくって計算して具体的な結論を導き出している。

上念　感染者は一時的にかなり増えましたが、死者はそれに比べて、全然増えていないですよね。

髙橋　それはワクチンが効いてきたから増えないんだ。どこの国もだいたいはそうなっているわけ。死者は出にくくなるし、ワクチン接種者が罹ることはあっても重症化も少ない。以前のアルファ株のワクチンを打っていれば、デルタ株に変異したといってもほとんど死なない、というレベルになるんだと思う。

上念　先般、米マサチューセッツ州で四百数十人がワクチンを打ったにもかかわらず370人が罹ったというニュースがあったけれど、実は入院した人はわずか5人しかいなかったようです。

髙橋　コロナに罹った人たちのその後の状況を報道しないのはおかしいと、私はいつも言っている。ワクチンを打っても致死率がまったく変わっていないのなら、実はワクチンが効いていないので大問題だからね。

でも私が見たデータや聞いたなかでは、ワクチンを打ったあとにデルタ株に罹った人はいたとはいえ、そのほとんどが鼻水レベルなんだよね。だって死ななきゃ別にたいしたことはないだろうと、私なんかは思うのだけれど、これをYouTubeで言ったらバン（禁止）されてしまうらしい。YouTubeのコードを見たら、とにかく政府の見解と異なる話をしたらバンを食らうらしいよ。

日本の新型コロナ感染者数（左）、重症者数（左）、死亡者数（右）の推移

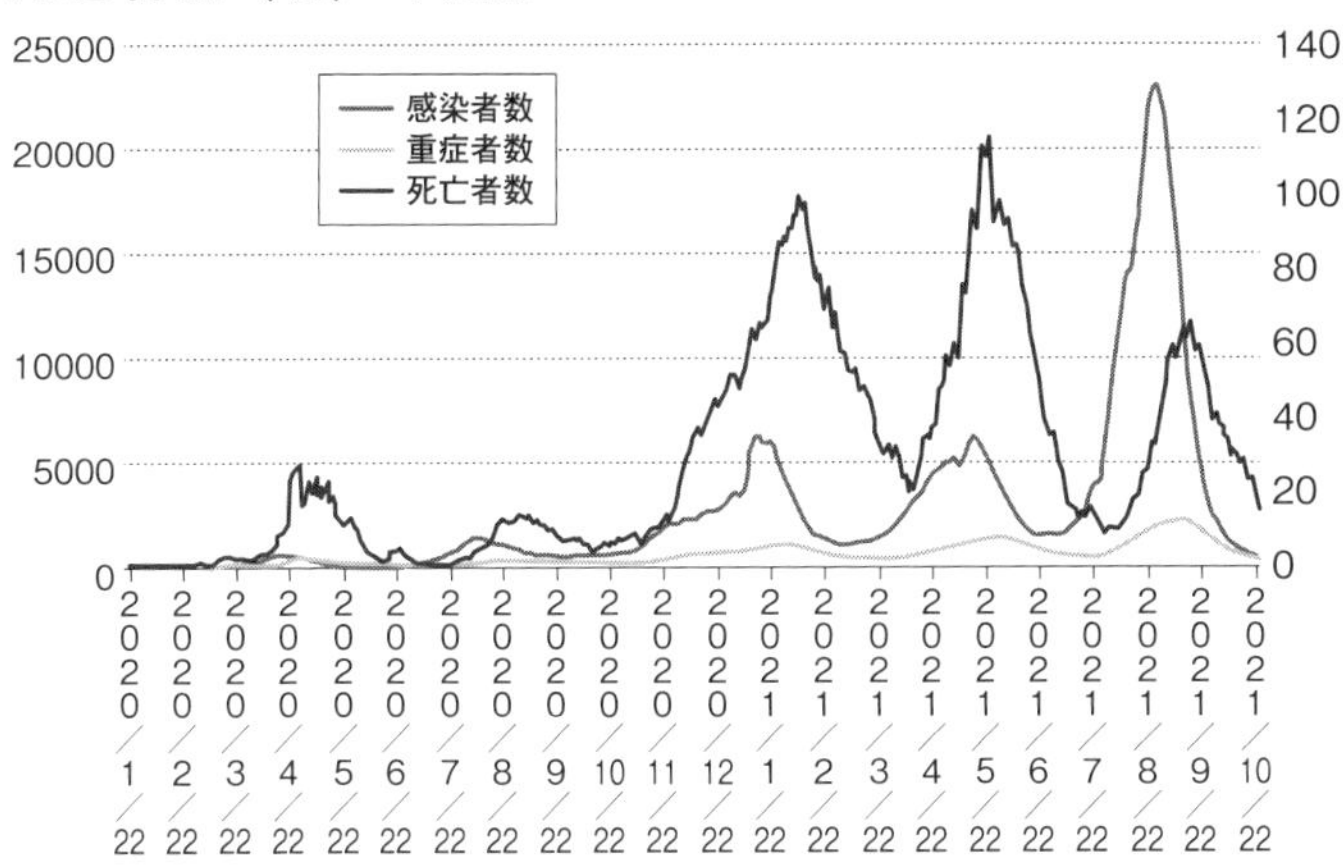

（資料）厚生労働省https://www.mhlw.go.jo/stf/covid-19/open-data.htmlのデータを7日間移動平均したもの

上念　政府もそうですよ。WHOと違ってもBANですよ。

高橋　そうなんだよね。要はワクチンを打っても新規感染はあるにはあると。ただし、重症化はほとんどしないと答えること。そういう話をしなければならないんだ。ブレイクスルー感染があったにせよなんにせよ、私が重要視しているのは死ぬか死なないかだけ。私なんかがリスク計算するときに取り上げるのは「致死率」のみなんだよ。

そういう意味では新規感染者で致死率はあまり高くなければ、そんなに気にしていないとしか言いようがないわけ。

そういうことを言うと、65歳以上の人、私もそうだけれど、もう2回目のワクチ

ンも打っているから、ほとんど大丈夫ではないのかな。あとは40歳以下の若い人たちについては、仮に罹っても死亡確率はきわめて低い。私の計算によると、交通事故死より一ケタ低いわけ。そうやってリスク計算をするときにはすべて〝確率〟の精度を上げることが基本中の基本なんだね。

あの西浦博氏（京都大学大学院教授）の数理モデルは、私が昔40年前に研究していたモデル分野だった。彼は最初に「42万人の死者が出る」と言っていたけれど、見事に外れた。私が弾き出した予測は基本的に第1波から今回の第5波の入口まですべて当たっている。ところが、その西浦氏は最近、東京都における予測で当てたとマスコミから言われているらしい。新規感染者数に関しては当たっているかもしれないが、実は重症者、死者に関しては外している。私にしてみれば、そちらのほうが大事。意味のない新規感染者はもう予測しないのだからね。

西浦試算ではワクチンの要素を数式に反映していない？

上念　西浦氏はワクチンの要素を数式に反映していない、と聞いたことがあるのですが、このあたりはいかがですか？

髙橋　いちおうは入れている。でも、実際には全然評価ができていないから、実は新規感染者は当たるけれど、重症者と死者は当たらない。いちおう数式には入っているには入っているのだけれど、それがすごく間違っているよ。繰り返すけれど、新規感染者、重傷者、死者のなかでもっとも重要なのは死者なんだからね。そこが肝だよ。鼻水の新規感染者をカウントしたって仕方がない。

西浦氏は政府の新型コロナ対策分科会のメンバーなのだけれど、なぜああした計算が出てくるのか、私は、最初はよくわからなかった。最近になってようやく理解できた。

そもそも政府分科会には20人近くのメンバーがいる。役人の感覚で審議会に20人も入れたら、実は意見は出てこないものなのだね。2時間制の審議会の最初の30分から1時間は事務局説明に費やされる。残りせいぜい1時間から1時間半だ。メンバーが20人もいたら、1人3分も時間をもらえず、まともに意見を開陳できない。

それで最後に事務局が仕切る形になってしまう。あとは分科会に影響力のある尾身茂会長に話をしてもらうわけ。尾身会長の話の内容は、基本的には日本医師会と同じだよ。

だから、最初に西浦氏におどろおどろしい計算をさせるわけだ。西浦予測のとおり42万人死者が出ると、感染者は2000万人以上出る計算になるんだね。だから、絶対に日本の医療提供体制をいくら強化しても対応できない。そうした最初の数字のセッティングが、

2021年6月20日の期限で宣言を解除した場合の新型コロナ重症者数予測（東京都）

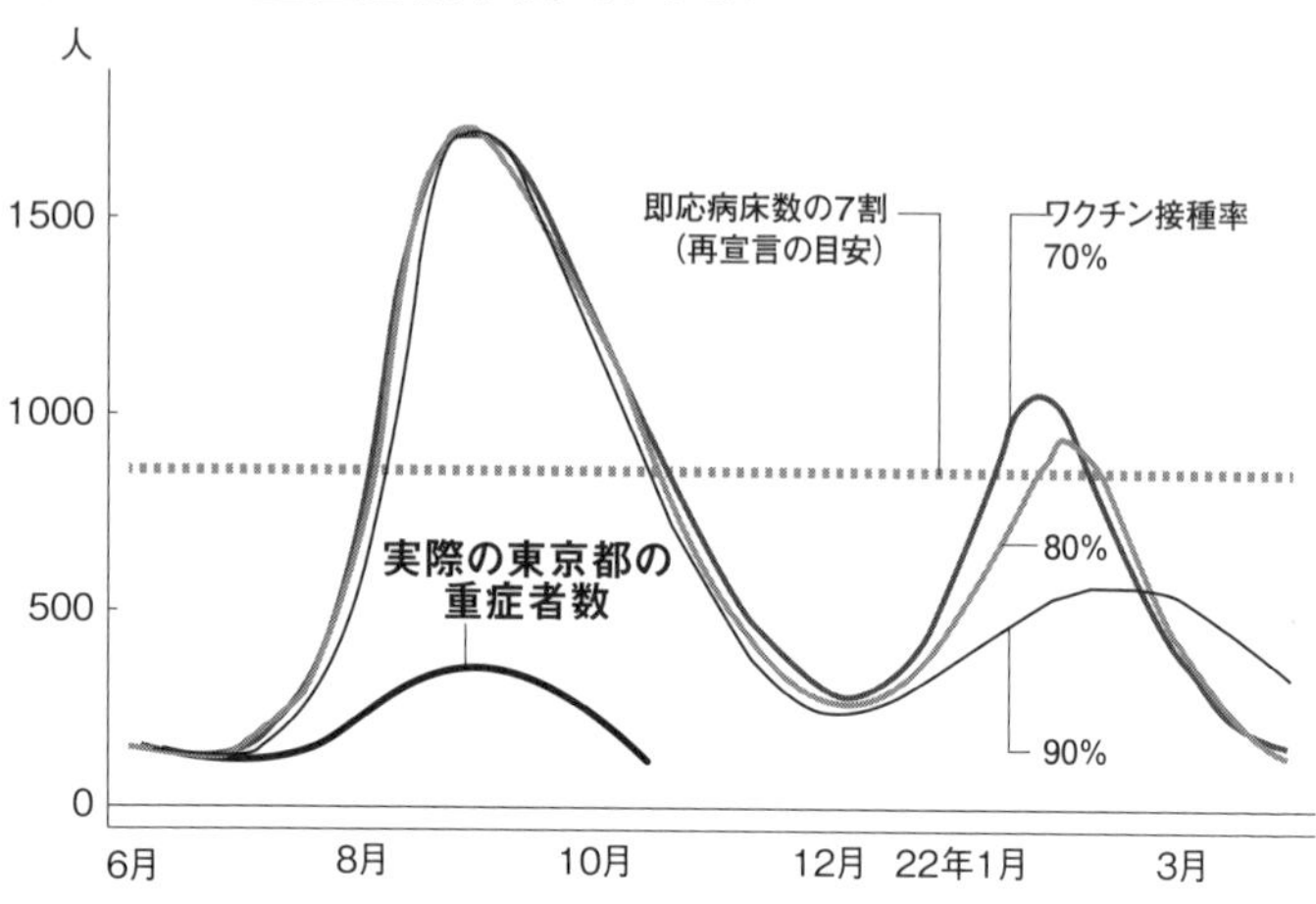

（注）即応病床数は重症者用（約1200床）。ワクチン接種率は高齢者分
（出所）京都大学の西浦博教授（理論疫学）

答えとして「医療提供体制の拡充」が一切出てこないものにしたんだ。

つまり、西浦試算から出てくる答えは、「行動抑制のみ」。これしか出てこなかった。

上念　なるほどね。だから行動抑制をずっと1年半以上にわたって言い続けているわけか。

高橋　したがって、医療提供体制のほうには一切、手を付けない。そういう前提で話を進めている。

昨年の2次補正予算のときに私は安倍前総理らにいろいろと要請して、医療提供体制拡充のためのお金を工面してもらうことになった。医療提供体制強化費として1兆5000億円。けっこうすごい額だろう。それが使われていなかったので、すごく不思議に思った私は昨秋、内閣官房参与になったので担当方面に聞いて回ったんだ。すると「これから出します」と言うから、黙って様子を見ていた。

そうしたら先般、2次補正の決算が締められた。それをチェックしたら、案の定、医療提供体制強化費はほとんど使われていなかったんだね。

上念 なんで使わなかったのですか？

髙橋 役人の感覚だと不思議としか言いようがない。予算を付けたんだけれど、医師会が要らないと言ってきたとしか考えられない。医師会のほうで「医療提供体制にあまり触れるな」というお達しがあったのではないかな。もとより医師会は医療提供の話を嫌がっていたからね。たとえば医学部の増設問題なんかにもつながるしね。医療提供を増やさないで行動抑制をして需要を減らす。それが最初にありきだったのだと思うよ。

それを認識して初めて、医師会や審議会が真面目な試算をしない理由が私にはよくわかった。真面目に試算をすると、私みたいに死者はちょっとしか増えないから、医療提供の強化で対応できてしまう。医師会ではそれで対応する気はないので、最初からそれをシナリオから外すためにおどろおどろしい西浦試算が世に出てきたわけなんだな。これが私の推測だよ。

上念　なるほど。これも先生、「岩盤規制」のせいだということですね？

髙橋　かなりそうだよ。だって私も最初っからなんでこんな試算をするのかな？　ってわからなかった。ふつうに計算をすると、そんなに大きな波ではないことはすぐにわかるわけ。行動抑制をいうとしても、医療提供の強化である程度対応できるのではないかと思っていたから、ずっとその予算拡充にこだわってきた。

上念　西村担当大臣は計算式を理解しているのですか？

髙橋　モデルがあるのでわかるとは思うけれど、これはパロメーター（変数）の設定の問題だからね。実はモデルは100年程度前からほとんど同じなんだ。パロメーターの設定がその状況でまったく違うんだね。

これらは少なくともスペイン風邪が蔓延したときに開発されたモデルで、さまざまなバージョンアップをしてきたとはいえ、基本的には同じモデルだ。私などはスペイン風邪と同じバージョンを使って計算しているけれど、それでもそんなに間違えることはない。

つまり、海外のものをそのまま持ってきてしまうとか、おどろおどろしい結果を得るためにべらぼうに拡散するようなパラメーターの設定を行うことが問題なわけ。

上念　それでは西浦氏は確信犯ということですか？　西浦氏にも「国民の行動抑制のみ」の答えを導くとする意向があったということでしょうか？

髙橋 そうでしょう。

上念 えぇーっ！

髙橋 だから私は彼がずっと外しているのを妙に思っていたの。ふつうはこの手のモデルをやっている人は、外したときには「実はこのパロメーターについてはこう見誤った」と認めるわけ。そうすると、あとは計算をし直すというパターンになる。

上念 ところが彼は「何をどういうふうに見誤った」とは一切言わなかった。要するに数値計算する人たちから見たら信じられない行動をしているわけなんだよ。

上念 えぇーっ！ そのことについて西浦氏に質問をしたらいいですよね。答えられないかもしれないですけど。

髙橋 答えないよ。答えたらまずいからね。

上念 でも答えなかったら、中国のウイグル弾圧の隠ぺいと同じで、あなたは隠しているだろうという話になりませんかね。

髙橋 普通の数値計算をする人たちにはバロメーターの違いだとすぐにわかるから、バロメーターの設定が間違っていましたと言うだけだよ。それで予想以上の数字になってしまったのだと。でも、それを何回も何回も繰り返すから変だとは思うけれどね。

上念 えぇーっ！ ということは、日本医師会の利権を守るために、今回あんな数字を出したということですか？？

髙橋　というのが私の答えだけれどね。医療提供体制の強化費を使わなかったことから、私はそれを推測しているんだね。きちんと理解するためには、新政権の下で、しっかりした検証を行わないと、確かなことはわからない。日本も政策の事後検証をしっかり行うべきだと思う。

日本医師会の利権の犠牲になった飲食とＧｏｔｏトラベル

上念　それをＴＢＳテレビの『サンデーモーニング』などでは、政府が医療提供体制の強化を怠けているような言い方をしています。

髙橋　だから政府はお金を用意したんだよ。それでもおそらく厚労省の段階で予算執行しなかったと思う。厚労省が予算執行しなかったものが政府の金のなかで一部あったのだけれど、私はすごく変に思った。だってふつう、役人が予算がついているにもかかわらず使わないなんて、どうしてだって思うよね。

上念　それは医師会が協力しないと使えないものなんですか？

髙橋　はっきり言えばそうだよ。

上念 医師会はサボタージュした？

髙橋 医師会は「要らない」と言っただけでしょう。だから、厚労省としては使いようがなかった。

上念 これはコロナが終わったら、医療制度改革は必須ではないでしょうか。

髙橋 だよね。新型コロナ対策分科会のやったことを政府内できちんと検証すべきだろう。

上念 政府分科会の尾身会長の話が途中からおかしくなったような気がしたのですが。

髙橋 コロナが下火になったので、医療提供体制強化の話が上がってきて、大変になったんだよ。この話を抑えるために行動抑制をずっと国民に訴え続けているわけだからね。

上念 なるほど。それでは医師会側のデキレースに、マスコミも完全に乗っかっているわけですか？

髙橋 そうだよ。だってマスコミに出てくる人って、いつも一緒でしょう。彼らは医師会の意向で出てくるのに決まっているじゃない。明らかなのは1兆5000億円の医療提供体制強化費を使わなかった事実については、私以外の人間は喋っていないことだ。

でも、他に誰もいないのはおかしくはないか？　だいたいそれで財務省のほうは30兆円も予算を余らせてしまったと言っているわけだけれど、融資が余ったのはそれで良かっ

Go Toトラベルと新型コロナの相関関係

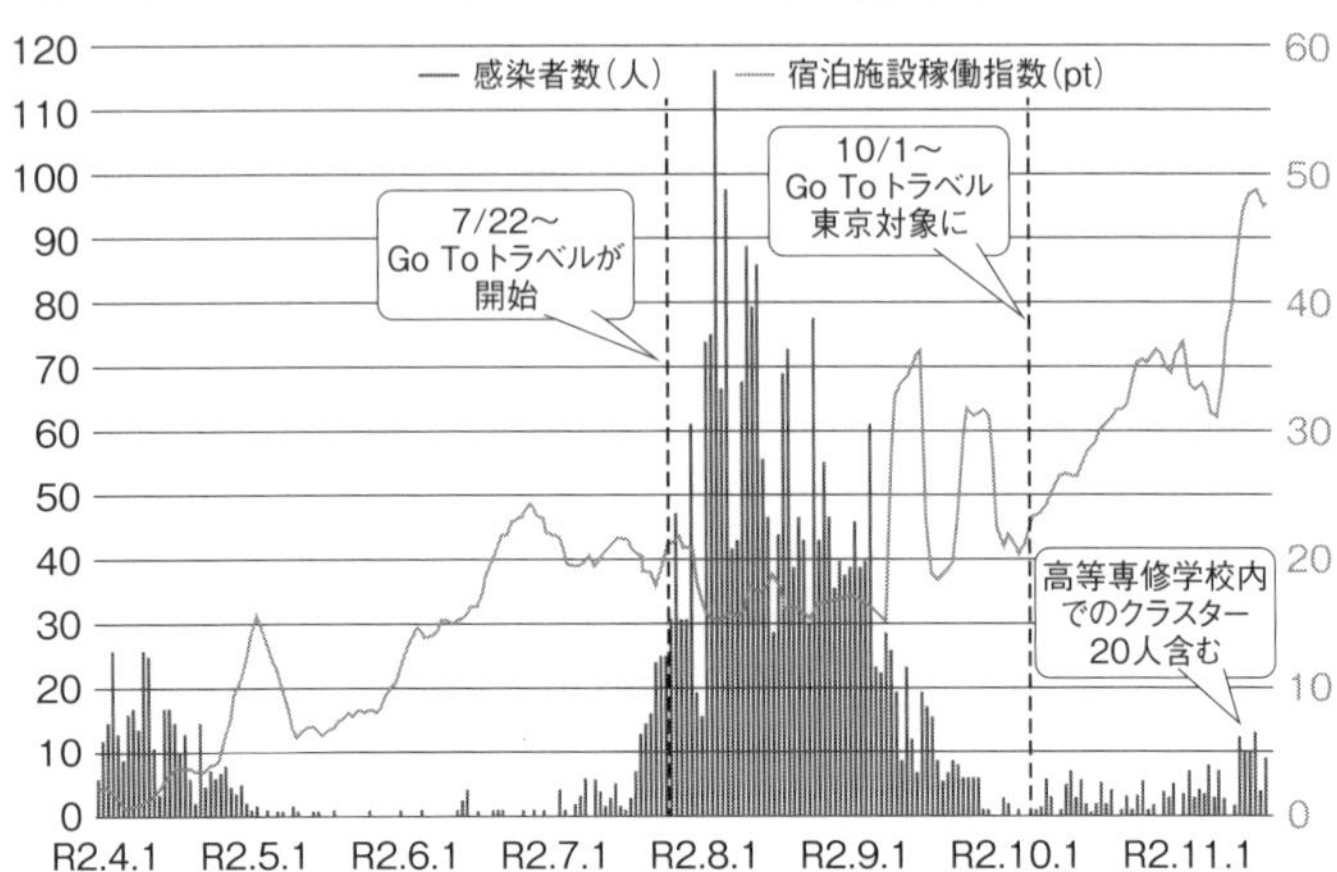

出典：福岡市「新型コロナウイルスポータルサイト」、(公財) 九州経済調査会「データサラダ」

た。でも、医療提供体制強化費が使われなかったのは、私はびっくりしたね。昨秋関係者に「おかしいんじゃないの」と言ったら、「使います」とごにょごにょと返してきたけれど、結果的には使っていなかった。

上念　そんなに医者の利権を守りたいのでしょうかね？

髙橋　条件反射的に動いたんではないかな。それで最初からああいうふうな試算を出して、これでは医療提供体制を整備してもまったく意味がないからと。行動抑制にベクトルを向かわせて、飲食ダメ、Ｇｏｔｏトラベルダメにしていったわけだ。繰り返すが、新政権では、コロナ対策のすべてを事後検証すべきだと思っている。

上念　みんなその犠牲者になってしまった

のですね。私の経営するジムだって昨年は大変だったんです。

なぜか概算払いでなく精算払いになった休業補償

髙橋 コロナの状況がわからないときには、行動抑制という対処法はありえる。何もわからないときにはやむを得ない。

それについて内閣府では、新型コロナ対応に奔走する地方公共団体の取組を支援するために「新型コロナウイルス感染症対応地方創生臨時交付金」として4兆5000億円を配ったんだよ。これはいわゆる休業補償的な交付金なのだけれど、これについてもほとんど使われていない。

みんな「大変だ、大変だ」と言いながらも地方自治体のほうも使わないから、休業補償についてすごく執行が遅れた。そもそも財政的にはおかしくて、このような緊急事態には補助金の出し方は2種類があるんだよ。一つは精算払い。一つは概算払い。実は緊急時には概算払いが適用されるものだ。

概算払いというのは、先に大摑みで渡して、あとできちんとチェックする方式。これをせずに精算払いにしたから、とんでもなく執行が滞ってしまったわけ。精算払いというのは元来、平時想定のものなので、ものすごく細かな資料を揃えないと申請者は払ってもらえない。

上念　ははあ、だから飲食業が困っていたのか。

髙橋　途中で私が「概算払いでないとおかしいんじゃないか」と言ったら、その後時間が経ってようやく役所が「検討します」って。信じられないだろう。今は緊急事態なんだから、いったん概算払いで払っておいて、落ち着いたら事後的にチェックすればいい話なのに。だって緊急事態の補助金については、これまでみんなそういうパターンでやってきたんだよ。だからこっちも、まさかそんなところをわざわざ指摘しなければできないとは思わなかったわけ。

上念　髙橋先生は現役時代に、阪神淡路大震災時には概算払いでバンバン気前よく払ったとおっしゃってなかったですか？

髙橋　いや、大きな台風のときだったよ。これは財務局理財部長の権限で執行できるんだ。台風被害に遭ったところから、要求がきたんだね。それは「即執行」したよ。だって、そんな大変なときにいちいち精査してどうのこうのと言っている場合じゃないから。精査はするんだけど、あとでね。

上念　ではなんで今回は精算払いにしたのでしょうか？　野党に突っ込まれるからです

か？

髙橋　知らないよ、そんなこと。そういうのを含めて、きちんとした事後検証をしたほうがいいと、私は言っている。だから、今回はあり得ないことがあちこちで起こっているわけだよ。予算をつけたのに執行しなかったり、地方創生臨時交付金での休業補償を精算払いをしていたり、本当にわかりかねることが起きていたんだ。

上念　これは非常にヤバいんじゃないでしょうか。

髙橋　こうした実情を、当時の菅政権はよく知らないで日々動いていたから、大変だった。

上念　これでは、菅政権の支持率が下がったのは当然でしたね。

髙橋　それはそうだろう。このあたりは気づかなきゃ駄目だよ。

上念　ちゃんとグリップせねば。それにしても、誰が予算を止めていたんだろうか。

髙橋　誰も止めていなくて、最初から医師会側が医療提供を整備してもしょうがないと設定したことが問題だったんだからね。地方創生臨時交付金についてはかなり早い時期に予算取りをしてうまくやれるなと踏んでいたところ、それを精算払いにしたことを、さすがの私も気が付かなかった。そんなひどいことをするはずがないと思っていたからだ。

上念　言ってみれば、こんな緊急時に精算払いは非常識このうえないですからね。あれですか。精算払いについて財務次官は把握していたってことですか？

高橋 知らないとおかしいんだけどね。誰かが途中で言ってあげればよかったんだけれど。有事だから。

上念 問題なく概算払いになったのに、誰も言わなかった。

高橋 よくわからないけれど、誰かが意図的に言わなかったのかもしれない。

上念 変だな。自民党のなかにも財務省ＯＢはいっぱいいるじゃないですか。山本幸三先生だっているし。政治家はそんなに細かいことまで指図しないということですかね。

高橋 わからない。悪意があってこうなったのかもわからない。これについては後で検証の対象にすべきでしょう。

利用者と事業者の双方にメリットをもたらすワクチンパスポート

上念 財務省関連の実態が明らかになったところで、ここからはコロナの病気としての見通しを教えていただけますか？

高橋 おそらくふつうのインフルエンザと似てくるのだと思う。インフルエンザにしたって毎年型が変わっているわけで、性格的には似ている。今年はデルタ型、次はガンマ型みたいに。ワクチンメーカーが後発は意味がないと言っているのだけれど、実際にはそうではなくて、後発にも意味がある。ずっと毎年変異を続けるわけだからね。

上念 ファイザーもいまデルタ株ワクチンを開発しているそうですね。

髙橋 当たり前だよ。だからこれまで2回ワクチンを接種した人も、変異株に対応して少し中身を変えたワクチンを毎年接種することになるわけだ。ある程度年齢のいった人が罹ると本当にひどくなるから、やはりワクチンを打ち続けたほうが安全だと思う。私は打つよ。もともとインフルエンザについても毎年打っているからね。できればインフルとコロナの混合ワクチンをつくってくれたほうがいいなとさえ思っているクチだよ。

上念 髙橋先生のお話を聞いていると、今年いっぱいぐらいにはいい感じでコロナは収まってくるような気がするのですが。

髙橋 いい感じに収まるといいと期待するけど、世の中はずっと騒いでいるだろうね。また、鼻水程度の症状の新規感染者がどんどん出てくるから。ただ今年はこれだけ国民の衛生観念が際立っているから、インフルエンザがどこかへ吹き飛んでしまった。1万人もいたインフルの死者がなくなってしまった。

そういう意味では超過死亡率が減少したわけで、インフルの死者とコロナの死者がひっくり返った感じなのだけれど、結果的に日本人の平均寿命が延びてしまった。厚労省が発表したけれどね。本来は病気で死者が増えるときには平均寿命は延びないものなんだよ。

上念 アメリカは平均寿命が短くなったでしょう。

髙橋 だから、病気で大量に死者が出ればそうなる。でも、日本人の平均寿命が延びたことはあまり大きく報道されなかったな。

本当は厚労省は、コロナで1万6000人以上の死者を出したけれど、超過死亡が1万人程度減ってしまい数的に相殺され、他の要因で死亡者が減った結果、平均寿命が延びました。そう説明しなければならない。

上念 ということで、11月ごろワクチンを2回打った人が7割、8割に達したところで、行動制限なしにするには当然ですね。

髙橋 すでに起きていることだけれど、いろいろな宿、ホテルがワクチンを2回打った人に安く部屋を提供することをネットで打ち出しているんだよ。私のよく泊まるホテルもね、2回打った人は1泊3000円引きだった。

関係者に話を聞いたら、「ワクチンを2回打っている人のほうが安心できて、手間がかからない」と言っていたね。これからはワクチンを2回打った証明書を持っている人にいろんな分野での割引が与えられるようになることは請け合いだろう。背に腹は変えられないから、民間としてはそういうサービスをせざるを得ないでしょう。

政府としてもワクチンを2回打った人に関しては「Ｇｏｔｏ」はＯＫにすればいいと思うよ。

上念　11月とは言わず、なんでもっと早くやらないのかな。

髙橋　それは日本医師会に影響された分科会が、いままでずっと行動制限で押し通してきたからね。この期に及んでもまだ反対している。

不思議なんだけれど、ワクチンを2回打たせてなんで行動制限するのか、私にはよく理解できない。なんのためにワクチン接種させているのかと思うわけだよ。ただ現実には行動制限〝ファン〟もけっこう多い（笑）。

私なんかは、すでに2回のワクチン接種が終了しているので、接種券に添付されている接種済証明書のコピーをスマートフォンに入れて常時携帯しているよ。求められれば提示するし、相手側に安心を与えるために説明することもある。ホテルのチェックインでフロントの人を安心させるためでもあるんだよ。

ワクチンパスポートはあってもいいけど、これでもいいでしょう。現実に3000円引きのホテルでも、これが通用したからね。要はこのような接種証明の活用は、利用者と事業者の双方にとってメリットがあるんだよ。

上念　これが広がっていくと、消費も上向くのでしょうか？

髙橋　実は私はこの接種済証明を旅行先の地方のホテルで見せて、「東京からですが」と言ったんだけれど、「結構ですよ」と拒否などされなかった。これにＧｏｔｏをプラスしたらいいいんじゃないかな。

上念　爆発しますよ旅行ブームが。これを自民党がやれるんでしょうか？　どうかなあ。

髙橋　だからそれをマスコミが、あとは行動制限しか言わない日本医師会が恐れているんじゃないの。ワクチン接種総数が1億回を超えたということは、5000万人以上がだいたいは2回接種したってことだよ。

だからこれからはかなりの人に新型コロナウイルスの耐性ができ、新規感染者数が落ち着く可能性が高い。でも、若い人たちは増えるけれどね。イギリスなんかを見ていてもまた新規感染者数が上がっているから。

上念　そうすると年内にかけて、経済の復活に伴い、日本の株価はかなり期待できますかね？　どうなんでしょう？

髙橋　10月の衆議院選挙の結果次第だと思う。

上念　そのころにはコロナはかなり落ち着いていると、自民党政権側は予測しているわけですね？

髙橋　そうでなければ自民党は勝てないね。勝てば、株価の上昇は期待できると思うね。

第3章

コロナ後の日本を考察する

外れ値ばかりに食いつく統計の素養がないマスコミ

髙橋　再度、統計学の話に戻るのだけれど、マスコミの記者の人たちに統計学の話をするのは大変なんだよね。記者の人にデータ分析を示すと、彼らは間違いなく「外れ値」というところしか見ない。サンプルが200個くらいあると、いちばん外れたところのものを取り上げて、「これは何ですか？」と聞いてくるわけ。「これは『外れ値』ってやつで意味がない」と説明すると不満げな顔をする。

上念　そんなのはノイズですよね？

髙橋　彼らにはノイズという概念がわからないんだな。だから、ノイズを拾うのがマスコミなんだよ（笑）。

上念　（笑）ノイズを拾って増幅する。

髙橋　統計を勉強していると、だいたい真ん中の平均値の近くあたりが中心になる。これが健康的な考え方だと思うのだが、彼らは絶対にそうは思わない。何回もそう説明するんだけれど、外れ値にばっかり食いついてくるわけ。200回に1回程度しか出てこないよと断っても、そっちのほうを聞きたがる。

上念　先般昼のテレビで『バイキング』を見たのですが、その外れ値だけで30分を費やしていましたね。

髙橋　それじゃあ、外れ値だけしか頭に残らないな。私なんかは、外れ値は外れ値としてわかるから、「たまには変なことはありますけれどね」と切り捨てようとするわけなんだけれど、マスコミは変なことのほうに興味をそそられるようで、結果、それがあたかも正常のように扱う。それがマスコミの特性なんだよね。

上念　それをしておいて、さらにマスコミは同調圧力をかけてくるでしょう。本当にけしからんですよ。

髙橋　いつも統計を基に話す私は、基本的な統計の素養がないマスコミにものすごく嫌がられる。「外れ値の確率はこのくらいだよ」って言っちゃうから。さっき上念さんが言った『バイキング』、前に何回か出演依頼があったんだけれど、そのうちに依頼が途絶えた。私はこの手の番組に招かれると、数字を武器に一緒に出演したコメンテーターをことごとく論破しそうだからね。

その後は呼ばれなくなった。きっと『バイキング』ではスタッフが上司から「髙橋さんなんか呼んじゃダメだろう」と言われたんだと思うよ。

繰り返すけれど、マスコミは外れ値にすごく興味を示すけれど、外れ値はすごいレアケースだから意味がないんだね。

上念　まさにノイズだから。

髙橋　外れ値はいつも存在するんだが、大勢にはほとんど影響がない。

上念　外れ値を拾うような人は株式投資でも儲けられないんです。商売でも成功できないと思います（笑）。

髙橋　そりゃそうだろう。ほとんどあり得ない話なんだから。

上念　ビジネス的、投資的感覚からいうと、髙橋先生が言われる外れ値についてはすごくよくわかります。見てもしょうがないって。

髙橋　滅多にないことだから、食いついてもね。

上念　すう勢とレンジを見ていれば当たるわけですからね。まずいですね、マスコミは。でも、おそらくみんな疲れてきているので、これからは「ワクチンを打ったら、もう大丈夫じゃん」という空気がなし崩し的に広がってくるのではないでしょうかね。それで日本の空気ががらりと変わるのでは。

髙橋　先にもふれたけれど、米ニューヨーク州では公立学校の全教員にワクチン接種を義務付けたのをはじめ、欧米ではワクチン接種証明の活用が広がっている。日本政府もワクチン接種証明書を出すことになった。次にはワクチン接種証明を持っていれば飲食、旅行もオーケーということになる。そうすると上念さんが言ったみたいに「ワクチンを打ったら、もう大丈夫じゃん」のベクトルが嫌でも強まっていく。ワクチン接種者が増えていけば、ワクチン接種証明への支持者も増えていく。

ただし日本のマスコミはおそらく、「ワクチン未接種者にとっては不平等になる」とする反対運動、キャンペーンを張るんだろうね。

上念　そんなものは無視ですよ。

髙橋　欧州なんかもでもそういう反対運動は少し見られるのだけれど、旗色は悪いね。たとえばフランスでは美術館、博物館、映画館などで利用者にワクチン接種の証明や検査による陰性証明の提示を義務付けた。その動きはレストランなど飲食店、飛行機や高速鉄道など長距離の交通機関、救急を除く医療機関にも拡大させる計画らしい。

上念　そうすると気になる日本経済について、今冬から来年にかけて髙橋先生はどう予測されていますか？

髙橋　悪くはないと思うよ。それは、10月の衆議院選挙のときにどれだけいい話を持ち出してくれるか、そこにかかっている。選挙だから、政策のデパートみたいに、いろんな予算を大盤振る舞いする話が出てくるわけだ。そこに前向きの話が出てきたらオーケーではないのかな。

上念　なるほど。それでは選挙のときに日本人が冷静でいられるかどうかですね。

高橋　そのときには、新規感染者がこれだけいて大変だと煽る人が出てくるだろう。でも10月だから、国民はけっこう冷静になっているのではないかと、私は期待しているんだけれどね。さすがに今のまま「新規感染者が増えて大変です。でも死者は増えていません」は続かないだろう。

日本経済の最大のネックは財務省

上念　金融政策、財政政策にテーマを移しましょう。金融政策に関しては、私はだいたい大丈夫かなと捉えているのですが、いかがでしょうか？

高橋　ちょっと引き締め気味だとは思う。少なくとも、金融政策のほうでは自ら金融機関のポケットに手を突っ込んで積極的に動いている感じはしない。全部が受動的。財政当局が国債を出せば拾い上げます。そういう世界だよ。

上念　財政当局はケチな動きをしているわけですよね。

高橋　先に言ったとおり予算を余らせた。余らせたことを奇貨として補正予算は要らないとまで言っている。その中心は慶應義塾大学教授の土居丈朗氏だ。

知ってのとおり、私と土居氏とは因縁がある。かつて彼が、2002年財政投融資に不良債権があるという論文を財政学会で報告した。私は、1990年代に財政投融資改革を大蔵省内でやったので、興味を持ってみたら、不良債権の数字に計算間違いがあった。それを土居氏に伝えたところ。彼は頑として認めなかった。

そこで、財政学会で発表された話なので、2004年の財政学会で〝決着〟をつけようという話になった。財政学会は1年に1度の本学会には、ほぼすべての先生方が出席するもの。ここに出席しなかったら財政学者としてまずいというレベルなので、みんな万難を排して出てくる。そこで、私は、土居氏の論文の誤りについてという論文を提出し、討論者として彼を指名した。しかし、彼はそれに出てこなかった。おまけにその直前に「髙橋の論文について反論を求める」と財政学会のメーリングに掲載してきた。でも、財政学者がたくさんいたのに誰も私の論文に反論できなかった。だから彼は敵前逃亡したんだ。

私なんか親切だから、2004年の財政学会の前に「計算が間違っているよ」と言ってあげたら、彼は「圧力をかけるんですか？」と勘違いしていた。圧力じゃなくて、間違いだからそう言ったまでの話なんだよ。

2004年の学会では井堀利宏氏、中里実氏、土居氏の3人対私1人の完全アウェイ状態でやった。それでも井堀、中里の2氏は反論なしで、土居氏は欠席。

いずれにしても、そんな経緯も忘れて、土居氏は増税のみならず、補正予算は少なめにと主張している、いわゆる御用学者にすぎない。

蒸し返すようだけれど、本当を言うと、先の休業補償の精算払いと概算払いの件なんかはすぐに気が付くはずだよ。「ちょっとこれは大変な状況だから、概算払いにしておけ」と言うよ。

上念 わざと概算払いにしなかったというか、誰も言わなかったんでしょうね。放っておけばデフォルト設定の精算払いになるだけだから。

髙橋 だから、言わなかったというところに、私は変な悪意を感じるわけだけれどね。だからあの件については、知らなかったとか弁明するのなら、ちょっとヤバイ感じがするよね。

上念 政治家は「緊急時だ。早く払いたいから、その方法を示せ」と命じないんでしょうか？　命じられても彼らはそれを隠すんでしょうか？　後になって発覚したら大変な問題になるわけでしょう。

髙橋 「後で対応します」と言っておしまいだよ。それ以上に、概算払いと精算払いの違いを知っている人は、財務省のなかにはほとんどいないから。

上念 ということは、日本経済の最大のネックって財務省じゃないですか。

髙橋 だから、私にはにわかには信じられなかったけれどね。

上念 これは政治の力で抑え込めるのですか？

髙橋 だから、私が突っ込んで言ったら、「すぐに検討します」と持ち帰っていった。でも、本当は「検討します」ではないよ。これは明らかに財務省官僚の〝サボタージュ〟であり失策だと思う。要するに厚生官僚のほうも医療強化金を出さなかったのもサボタージュだし、地方創生臨時交付金の支払いを概算払いにしなかったのは、財務省のサボタージュだった。彼らの責任だと思うよ。

「孫、子の代につけを回すな」という考えは正しくない

髙橋 私としては、新政権に予算だけ出して執行してもらえば、景気はよくなる。そこだけしか期待していないけれどね。

２０２１年夏に元総理の安倍さんが新潟県三条市でこんな発言をしているんだ。要約するとこうなる。

「昨年、われわれはいわゆる金融政策も含めた形でコロナ対策に挑んだ。政府と日本銀行が連合軍で２００兆円という対策をとり、１００兆円はしっかり財政措置をした。今回の

コロナ対策については、政府と日本銀行が連合でやっているから、政府が発行する国債は日本銀行がほぼ全部買い取ってくれている」

安倍さんはこう続けた。「紙とインク代20円で1万円札を刷ることができる。つまり、誕生した新しいお金が世の中に出ていき、デフレの圧力に対抗する力になる。日本銀行とは政府の子会社の関係にある。連結決算上、実はこれは政府の債務にはならない。したがって『孫、子の代につけを回すな』という考えは正しくない。

ただ、副作用がある。それはインフレがどんどん進んでいくという問題。もう一点は円の価値がどんどん暴落していくという問題。でも、そういうことにはまったくなっていない。私は今の状況であれば、もう1回、もう2回でもいい。こうした大きな対策を打っていくべきであると考える」

こういうことを安倍さんが初めてやってくれたんだね。リーマン・ショックのときには政府はほとんど何もしなかったし、東日本大震災のときには増税で対応したので、大変だった。

この政府・日銀連合の話を、私は何回も安倍さんに進言した。すると安倍さんは2020年のゴールデンウィーク前にこう言ってきた。「わかった。それは外にはアナウンスしないでくれ。時間を少しくれ」。安倍さんは暗にこう言っていたのだ。「麻生（財相）

さんを説得するから、時間をくれ」と。その後、麻生さんの発言が少しずつ変わっていき、私はこれはいい方向だなと感じていたんだよ。

上念 それでも安倍さんは総理任期中に2回、増税をした。あれはやっぱり止められなかったんでしょうか?

髙橋 法律で決まっていたしね。

上念 法律で決まっていると、時間がきたらやらなければいけないし。

髙橋 それをひっくり返すのは、不可能に近い。法律で決まった話をひっくり返すには、大きな政治エネルギーを使う。安倍さんは「自民党のなかで降ろされてしまう」と言っていたね。それくらい自民党のなかにも増税派がいるわけだし、総理といえども自分一人で決められない。やはり、党内の勢力においても不利になるらしい。

上念 政治的リソースをすごく食ってしまうわけですか。

髙橋 そうだし、下手をすると脅されることだってある。

上念 そこまで自民党は財務省に手なずけられているわけですか?

髙橋 そうだよ。

恐るべし小池百合子

上念 財務省の増税派の勢いを止めるためには、選挙で自民党が力を得なければいけないわけですが、横浜市長選の結果を見ても、衆院選はちょっときつそうな感じでした。しかし、菅さんが起死回生の総裁再選を目指さない宣言で一気に確率変動となりましたね。ちなみに、小池知事の国政復帰はどうなるでしょうか？

髙橋 小池百合子さんが新党をつくって国政に戻ってくるか、もしくは衆院選が終わった後、自民党二階派に入るかもしれない。しかし自民党総裁選で、二階さんのパワーはかなりなくなった。国政復帰は様子見をするのでしょう。

上念 小池さんの国政復帰は濃厚なんですか？

髙橋 そうでなかったら、今まで何をやっていたかってことでしょう。だって東京五輪以降、することがないじゃない。「私は精魂尽き果てました。十分やれました」と言って都知事を辞めるんではないかな。

彼女、自分が調子のいいときだけ電話をかけてくるんだよな（笑）。

上念 「精魂尽き果てた」わりには国政に復帰するのか（笑）。

髙橋 いろいろと理由をつけてね。あの人はなかなかたくましいからね。そういう意味では政策に〝芯〟があまりないから、案外と付き合うのは楽なんだよ。

上念 でも小池さんって豊洲市場のときみたいに、選挙のためにおかしなことをするじゃないですか？

髙橋 それはそうだけれど、選挙のときに周りにいい人が集まるなら、けっこうすごいことになる。

上念 彼女の周りにいい人が集まるんでしょうか？

髙橋 なかなか難しいだろうね。私は1回だけ少し協力したことがあった。それは自民党総裁選のときだった。清和会から候補を出すって話で、その当時の清和会のドンは中川秀直さんだったの。中川さんに「よろしく」って言われちゃったんで。そのときの政策案づくりにかかわっていたのが小池さんで協力したわけ。

それで小池さんが都知事になったときに声をかけられたんだ。でも、周りに環境省出身の活動家の連中がいたので遠慮したね。おそらく私が政策づくりにかかわっても、環境省の意見が優先されるだろうと踏んだから。

上念 では小池さんが国政復帰するとして、彼女は総理大臣を目指すわけですか？

髙橋 もちろん、そうでしょう。衆院選で、よしんば自民党が勝ったって、彼女は世間の空気を読むのに長けているからね。

上念　でも今はちょっと水面下に潜ってしまっている感じですが。

高橋　これまで小池さんは日の当たるところばかり歩いてきたんだけれど、日の当たり方がものすごくうまいんだ。加えて、リスクの避け方が際立ってうまい。日の当たり方、リスクの避け方、その両方ともに長けているんだよ。

日の当たり方がうまい人は少なからずいる。けれどもそういう人は、おうおうにしてリスクに襲われたときに逃げ方が下手なんだよ。ところが小池さんはリスクからの逃げ方も完璧だね。

上念　そうですよね。東京都におけるデルタ株の感染者数増大が、いつの間にか菅総理のせいにすり替わったのですから。

高橋　彼女は日の当たり方とリスクの避け方の天才だからね。つまり、政治の天才ってことだ。私はそれを年中言っている。

小池さんは日の当たるときにはバーッと全面に当たって、何かヤバくなったらすっといなくなる。少し前の都議選のときもそうだった。「過労です」って入院しちゃった。それで過労なくせに最後にひょいと出てきて、最大の注目を浴びた。

上念　だから、都民ファーストもそんなに負けなかった。

髙橋　小池さんは政策はないけれど、政治家としては傑出しているよ。だから私はあまり小池さんを批判はしていない。なぜかというと、彼女の政策を前から知っているから。

上念　小池さんが髙橋先生を頼ってくれば、そう変なことにはならないですよね。

髙橋　頼まれるかどうかはわからないし、そのときにはさまざまな情勢が絡んでくるからね。先にもふれたように、都知事選のときには環境省が食い込んでいるのを知っていたから、こちらから避けた。

でもね、小池さんは清和会にいて、それを足蹴にして石破さんのところに転じた人だから、大変なんだよ。今のところ、私の政策を入れてしまうと安倍さんのものと似てしまうからちょっと嫌だろうね。彼女はそういうところまで全部計算しているはずだから。だから、私が協力する部分はほとんどないでしょう。

上念　でも、石破さんの政策なんてダメじゃないですか。

髙橋　うん。ダメだけれどもしょうがない。これが政治というものだから。それを何とかできるという話ではない。あとは全然違う人で、新しい風を吹かせる人物の登場を待つかでしょう。新しい人は政策の論点に関してシガラミはないからね。もっとも、自民党総裁選で、石破氏もちょっと苦しくなった。もう次はこないかもね。

上念　山本幸三先生が財務大臣になったら財務省は変わるんでしょうか？

髙橋　山本さんも政治家だからね。彼だって最初は〝増税賛成派〟だった。政治家に聖人君子的な面を求めては駄目だよ。

上念　そうですね。彼らは票になれば何でもするわけですから。

髙橋　当たり前だよ。ビジネスマンが儲かればどんなビジネスにも手を染めるのと一緒だよね。

アメリカの金融引締めは再来年あたり

上念　ここからはアメリカ経済について伺いたいのですが。FRBのテーパリングが迫っていると聞いていますが、実際のところはどうでしょうか？

髙橋　迫ってはいるけれど、まだアメリカの失業率は5％台だから、そう簡単にはテーパリングはしないはず。やはり失業率が4％に限りなく近づかないかぎり無理なのではないかな。そうした状況がくるとなればテーパリングするかもしれない。要するに。先の読み次第だよ。

要するに失業率の問題だからね。テーパリングについて先に声をあげる人たちというのは、実は金融政策を先取りして自分が儲けたい業者なんだよ。

上念　わかります。私もそういう業者と付き合っているので。

高橋　口から出まかせの世界だから。経済についてはどうとでも言えるからね。

上念　就業者数の伸びなどはFRBの予想どおりになっていると聞いています。年内にはテーパリングするのではないかという声もありますが。

高橋　そう簡単にはいかないと学者の立場から思いたいけど、金融業者のほうは急ぐからね。そのせめぎあい。じゃあ、年内に失業率が4％以下に下がるかというと、それはなかなか難しいだろう。それでも、せかす人は多い。

上念　あとは、米連邦政府の債務上限法の2年間適用停止が2021年7月末に期限を迎え、8月1日から法定上限が復活して騒がれていますが、これについてはどうでしょうか？

高橋　あれはたいした話ではない。たいてい2年に1度ずつは上限を超えるから、議会の年中行事みたいなものだ。あれをネタにして民主・共和の話し合いが行われるんだよ。コミュニケーションのツールみたいなものだよ。だからどうなのっていう話だけれどね。

上念　足元のアメリカ経済をどう評価されていますか？

高橋　失業率が下がっていることから、けっこういいと思う。株価も上がっているし。ナスダックも史上最高値を更新したしね。ポストコロナに向けて着々と進んでいるのではないかな。米ニューヨーク市などがワクチン接種証明を提示すれば、飲食店、ジム、娯楽施設などへの入場はオーケーにしたのも、かなり正常化に近づいていることを表しているのだと思うよ。

だって、メジャーリーグの野球場の様子を見れば一目瞭然じゃない。観客がいっぱい入って、しかもマスクなどしていない。スポーツ界が正常化を真っ先に示しているね。

上念　アメリカの経済成長率は今年、7%くらいいくのではないかと言われていますが。アメリカ経済は順調に戻りつつあるのでしょうか？

髙橋　ポストコロナの話でけっこう盛り上がっているんだよ。

上念　今後も世界経済を主導するのは、やはりアメリカということですね。方向性としては。一方で、髙橋先生は中国の経済についてはどう捉えられているのでしょうか？

北京五輪代替地として有力な札幌

髙橋　景気はそこそこいいのだけれど、やはりデカップリング（分断）の話がより本格化してきているから、西側諸国は北京冬季五輪の開催をそう簡単に許さないだろう。北京五輪を政治的ボイコット、西側諸国の首脳が開会式に出席しない。そこまではすると思う。

ただ、選手団がどうするのかということになると、今後「武漢ウイルス」に関する報告書が出るから、何からの方向性が出てくるのではないかな。その報告書が強烈な内容であれば、さすがに北京五輪への足は遠のくよ。ただし、バイデン政権だから、そこそこでしかない。

しかし、ウイグル族に対する人権侵害の話、アメリカは「ジェノサイド」とまで言及しているんだからね。武漢ウイルスとジェノサイドがあれば、北京五輪には参加しづらいよ。人権のバイデン政権がどう判断するのか。

上念 中国のふるまいは五輪憲章に思いっ切り反しているわけでしょう。

髙橋 ジェノサイドについては証拠がないと誤魔化してしまうかもしれないけれど、武漢ウイルスで証拠が明らかにされたらアウトだよ。ここにきてウイルスに関しては中国に不利な話ばかりになってきている。

上念 先般アメリカがハッキングしたようなニュースが流されましたよね。

髙橋 うん。ブラフかもしれないが、今後報告書が出るから、そのための伏線の可能性が高い。あれは間違いなくリークだと思う。調査機関が報告書を出すわけだから、アメリカ政府のリークの一環と考えるのが妥当だよ。中身はハッキングしたデータ。まあハッキングの中身なんて検証しようもないんだけれどさ。

上念　アメリカに亡命してきた中国のスパイが持ち込んだ可能性だってありますよね？

髙橋　それだと覆されてしまうかもしれない。でもおそらく、医学的にはDNAを解析して流出説を証明するのは無理なんだろうと思うよ。なぜなら解析に何年もかかってしまうからね。3ヵ月、半年かけて答えが出るような話ではないんだよ。もし遺伝子を操作しているのであれば、遺伝子情報で全部解明できるのだけれど、それについては中国側はさまざまな釈明が可能だ。したがって、流出説に関してはかなり苦しい。

流出説を短期間で証明するのは苦しいけれど、アメリカ側は少なくともWHOの報告書の流出説の可能性はないというところは否定すると思う。全部イコールにするはずだ。イコールにすると簡単なのは、初期段階でリスクをきちんとしなかったことを指摘できる。この二つを合わせると、けっこう流出説が色濃くなってくるはずだよ。それでアメリカ国民が怒りだすと、北京五輪はかなり厳しくなってくる。

上念　大義名分が要りますからね。

髙橋　ウイルスとジェノサイドの合わせ技だな。それで日本経済としては、西側諸国の北京五輪ボイコットは実はなかなか嬉しい、美味しい話なんだよ。

本当に北京五輪をボイコットするとなると、西側諸国としては代替地を出さなければならなくなるでしょう。それでもっとも有力なのが「札幌」だよ（笑）。そのために東京五輪でマラソンと競歩を札幌で行ったのかもしれない（笑）。

上念　あーっ、なるほど。札幌にはスポーツ施設が豊富に揃っているから、たしかにすぐに体制が整いますね。

髙橋　北京の代替大会として札幌が手を挙げれば、一発で決まる。一方、本来の北京五輪に参加するのは北朝鮮とロシアくらいだろう（笑）。これはきわめてシャビイな冬季五輪になるだろうな。

上念　ロシアも東京五輪と同じくドーピングで引っかかって、ROCでの参加でしょうかね。

髙橋　でも、中国とロシアと北朝鮮だけの五輪なんてつまんないでしょう。そうすると欧米勢と日本が参加する札幌の代替大会のほうが面白い。これが実現すれば、ものすごく盛り上がると思う。

私なんかは東京五輪、東京パラリンピックが終わるまでずっと黙っていて、何を言われても我慢をして、その後で札幌代替で頑張れと声をあげたいと考えていた（笑）。

これは奇想天外なシナリオでもなんでもない。ただの北京五輪のボイコットではないよ。どこかから必ず代替地で行うべきだという声があがってくる。

1936年のベルリン五輪のとき、もしも代替地があれば、あのベルリン五輪は開催されなかったはずなんだね。ドイツの人権侵害を理由に欧米の人々がボイコットを呼びかけたが失敗に終わった。当時はスペインが代替地の候補にあがったのだけれど、当のスペインが内戦で大変だった。それでアメリカも仕方なく、忸怩たる思いで参加したわけ。

上念 そうしたらヒトラーのいいようにプロパガンダに利用されてしまった。

髙橋 だから代替地さえあれば、なんとかなるんだよ。だって五輪代表選手にしたって、どこかで競技ができればいいわけでしょう。

上念 欧米からやって来る選手たちは北京でも、札幌でもそう大差はないもんね（笑）。

髙橋 札幌近郊のスキー場は世界一のパウダースノーで、スキーヤーは大歓迎だよ。だから、北京五輪がボイコットになったら、私は即札幌が手を挙げたほうがいいと思う。だってさ、2030年に冬季五輪に立候補するつもりなんだもの。8年前倒しだけれど、絶好のチャンスじゃないのか。

上念 これは北京でやらないから札幌、というところに意味があるわけですよね？ 平昌は冬季五輪をやったばかりですからね。

髙橋 札幌のほうが平昌よりも期間がうんと開いているから有利だと思う。それと五輪のマークには、大陸で行うという意味が込められている。すなわちアジアだから、アジア以外の場所ではなかなか代替地としてやりにくい。

あらためてシナリオをまとめるとこうなる。アメリカによる武漢ウイルスに関する報告書が発表される→その内容に西側諸国の人々が非難の声をあげ、北京五輪ボイコットの動きが高まる。面白いだろう。盛り上がるよ。そういうシナリオになるかどうかは、今後の国際情勢次第だけど。

上念 立憲民主党は五輪そのものに反対だから、そうした一大ムーブメントから取り残される。ざまあみろだね。

髙橋 テレビ朝日は発狂するかもしれないね。まあそのころになれば、ワクチンを2回打った人もかなり増えているし、新規感染者もそこそこいるだろうけれど……。

上念 その頃には国民の8~9割は打っているはずだから、大丈夫ですよ。

髙橋 だから、やろうと思えば、札幌代替五輪はできる。不足の施設をいくつか突貫工事でつくれば事足りると思うよ。

上念 あとはあんまり観客を入れなければいい。警備が大変だから。観客を入れるのなら、地元の人たちとか、世界からこれ見よがしにワクチンパスポート・ホルダーだけ募ったりするとかね。

髙橋 これをすれば日本経済はけっこう盛り上がるんじゃないの。私はそういうのが好きだけれどね（笑）。

上念　髙橋シナリオどおりにいったら、どうします？

髙橋　まあ、これは可能性の問題だからね。要は、さまざま考えているシナリオのうちの一つを明かしただけだよ。

最後には尻をまくらざるを得ない中国

上念　そうすると今回の武漢ウイルスに関するアメリカ側の報告書がポイントになると思うのですが、最低でも「メイドインチャイナ」は確定していますね？

髙橋　科学的には確定はしないのだけれど、政治的にはかなり濃厚になるのではないかと私は捉えている。

上念　メイドインチャイナが確定すると、いま中国がプロパガンダしている「アメリカ起源説」はポシャルというわけですか。

髙橋　中国側は必死になって言っているけれど、WHOのほうも取り下げなければならなくなるしね。WHO報告書のすべての要因をイコールにしておいて、責任としてはチャイナになる。何か発生起源もだいぶ違っていて、前にずらしている。2020年1月くらいの話だったのを2019年12月にしている。でも、本当は2019年11月だったのがわかっているんだけれどね。

そこまでは言えるのではないかな。あとはさまざまな情報をアメリカ側は持っており、その一つがハッキングしたもの。

2019年11月に最初の感染者が出たと中国の研究者が開示したんですけれど、習近平が2020年1月と言ったから、そこまで遡れなくなってしまった。だからいまは適当に誤魔化して、2019年12月だとかなんとか言っているにすぎないんだ。

上念 ちなみに2019年の冬にはアメリカでインフルエンザが感染爆発して大変だったのです。よく考えてみると、インフルエンザって検査せずに症状見た医師の所見だけでインフルエンザ認定していたから、あのときにすでにけっこうコロナ感染者がいたのではないかと、私などは思っているのですが。

髙橋 それはその都度ウイルスの検査をしているから、新型コロナウイルスと同型かどうかは、DNA遺伝子解析を行えば簡単にわかるんだよ。1日か2日でわかる。そうしたデータベースは全部揃えてあるから、新種が出たのかどうかはすぐに判明する。したがって、データベースについて全部公開していくと情報がどんどん露わになるんだけれど、先刻も言ったとおり、最終的に確定することはものすごく難儀なんだよ。

上念 じゃあ、状況証拠みたいなところに織り込んでいって、まあそもそもこれは「メイドインチャイナ」だよねと落とし込んでいくわけですね。

髙橋　全部が状況証拠なんだが、これはもういろいろな科学者の総意で、実は中国に発生があったのは間違いないとされているんだ。中国もＷＨＯも言っているのは、動物から間接的にうつった。ただ、その間に武漢ウイルス研究所は介在していないとね。同研究所が介在していて遺伝子操作をしていたらたぶんわかるんだけれど、多少研究していただけかもしれないなと、私は思っている。

上念　あとは同研究所では実験動物について割と雑な扱いをしていた。あるいは、処分した動物を市場に横流ししていたという話も聞こえてきました。

髙橋　もちろんそうだよ。でもそれだと、中国側としては武漢ウイルス研究所のほうは関係ないからオーケーということになる。そのシナリオを中国側は望んでいる。動物を売ったぐらいでは、そこがウイルス発生源でなければオーケーだしね。

中国側としていちばんまずいのは、多少研究していたことが〝発覚〟すること。多少研究していたということは、ふつうは熱心に研究していたってことでしょう。

上念　なるほど。研究していたってことがバレると、「おい、お前！」ということになる。

髙橋　なるよな。研究していたことを認識していたなら、なぜそう言わなかったのだ？そこはもはや逃れられなくなるケースだ。

上念 しかも中国は真相解明にまったく協力をしていない。

高橋 一切協力しないのが明らかになっているから、中国の言い分としては、「これは軍事研究だから、明らかにできないのは道理である」と尻をまくることかな（笑）。これはふつうの研究ではない。軍事関係者の誰もが武漢ウイルス研究所が軍事研究拠点であるのを知っているのだから。

研究所とは中国の場合、基本的には軍事研究に決まっているわけだよ。日本のほうではきめ細かく仕分けして、同研究所は軍事ではないと割り切っているようだが、それはまったく当てはまらない。

上念 それではアメリカ側の報告書次第では、札幌五輪による中国封じ込めシナリオ、日本経済活性化シナリオが浮上してくるわけですね。

言い出しっぺは誰でもいいんですよね。声の大きな人。河野さんでもね。そういうシナリオがあれば、2022年の日本経済はけっこう好転するかもしれない。

保険運営を理解していない財務省

高橋 だから、ここで予算を絞ったりするのは言語道断だよ。安倍さんの意を受けた自民党の幹部は2021年度補正予算については30兆円規模を編成すべきと主張している。そういう流れはすでにできているようだけど、そこを反対派に抑え込められると、日本経済はまずくなるよね。

上念 実は安倍元総理から財務省の増税に対するスタンスについて、直接うかがったことがあります。安倍さんは「無理でしょう。できないと思います」とおっしゃっていた。

髙橋 当分はできないよ。消費税増税についてはね。でも、他のものはやるよ。だって今でも、雇用保険の増税を検討しているじゃない。

一般的に雇用保険を引き上げるときには、失業がものすごく増えてお金がなくなったときで、これは仕方がない。たまたま取り過ぎた雇用保険料を2017年度から19年度までの3年間、賃金の0・8%から0・6%に引き下げたのを、理由もないのにまた取ろうとしている。これは保険運営としては正しいやり方ではない。

そもそも過剰な積立金を持ってはいけないのが保険というものなんだよ。必要な額だけ持っていればいいのに、財務省は過剰に持ちたがっているわけだ。これを議論するためには、どのくらいの額が必要な金額なのかを計算すればいいだけだよ。

いまは雇用が安定していて失業給付があまり出ていない。ということは、雇用保険の状態が悪くはない。おしなべて保険とは、出ていくお金の見通しをきちんと示して、足りなくなったら保険料率を上げなければならないけれど、そうではないときには、上げる必要はない。

だから今回のように、財務省が保険料率を適当に上げる前例をつくろうとしているのは非常に由々しいことだ。雇用保険を保険だと思わないで、「ちょっと貯めておけ、取っておけ」という気持ちでやっている。保険料には厳格なる保険数理上の計算があるわけで、それに照らしてやらなければアウトだよ。

「雇用保険の引き上げについてどうですか?」と聞かれた場合、雇用保険についても他の保険料金を認可するのと同じ手続きでやればいいだけの話なんだよ。将来的に見込まれるリスクと支出、なぜ全体的な収支が追い付かないのかをきちんと説明して、その計算が認められたときにだけしか料率は上げられない。

正々堂々とそうした手続きで検討し、数字は外に出してみたらどうですか、と財務省に言いたいよね。まあ、それならば理解できるかもしれないし、できないかもしれない。とにかく財務省の〝一方的〟な意見だけで増税を判断してはいけない。財務省は保険を理解しているのだろうか、と私なんかは言いたくなるんだよ。

上念　財務省的にはコロナ後は増税路線まっしぐらということですか?

髙橋　実はコロナ禍のなか、日本は増税なしでやってきているんだね。繰り返しになるけれど、リーマン・ショックのときには政府・日銀はほとんど対応していなかった。東日本大震災時には財政出動はしたものの、財源は復興増税で賄った。

私は安倍さんに「リーマン・ショックは論外。増税だけで東日本大震災に対応した政府は間違いを犯した」と何回も言った。だから、今回のコロナ禍においては、国債を発行し続けたんだよ。国債を政府の子会社の日本銀行に買い取らせる。利払いしても全部政府に戻ってくるから負担はない。だから今回は増税なしでもいけるんだと。

上念 それで雇用保険増税は決まるんでしょうか？

高橋 財務省と厚労省とでやっている特別会計だから、けっこう難しくてわからない人が多いんだよ。だからごまかして上げる可能性はある。そういう細かな話がちょこちょこ出てくるんだよ。

上念 最低賃金も上がってしまいました。今回は一律28円でした。あれはなぜなんですか？

高橋 雇用調整助成金を出したので、失業率があまり下がらなかったからだよ。失業率が下がらなかったときには、最低賃金をちょっとだけ引き上げられる。そのレベルの話だ。私の計算よりもちょっと高いのだけれど、まあギリギリ誤差の範囲内かな。民主党が計算したほどひどくはないけれどね。

上念　これで失業が増えたりはしませんか？

高橋　このくらいであれば増えにくいだろうね。

上念　ぎりぎり大丈夫ですか。いや、日本経済が明るくなるか暗くなるか、本当にこれからの情勢次第ということですね。

衆院選時には落ち着いた感染死者数

高橋　10月31日の衆院選がポイントだよ。これからの日本の大きな方向性がほとんどこれで決まるからね。いつも自民党が安泰というわけにはいかない。今度の総選挙は「下手をしたら自民党を落とすぞ」という意味合いを持っているからね。

上念　コロナの感染が少し落ち着いてきたから、みんな冷静になるのでは。

高橋　何度も言うけれど、新規感染者でなく、死者が出ないほうが重要なんだよ。死者が少ないということは、医療崩壊が起きないということだけれどね。

上念　でも9月頃はしきりにテレビでは40、50代が重症化して病床がいっぱいだと大騒ぎしています。医師の話では、このところ若い人が重症化して病院に来るけれど、若い人は治りやすいらしいですね。人工呼吸器を長いこと使わずに済むそうです。それで若い人たちは入れ代わり立ち代わり回転しているらしい。

髙橋　若い人たちは滅多に死なないよ。入院してすぐに退院していくのは、決して悪いことではないよ。

上念　たしか年代別の死者数、あるいは死亡確率についても60代、70代になるとガンガン上がってしまうのですね。

髙橋　圧倒的に高い。それで50代以下になると、今度は交通事故よりも死ななくなってしまう。50代がほぼ交通事故死と一緒だったはず。40代になるとまるっきり違ってくる。1桁違ってくるからね。

上念　すでに65歳以上のシルバーはほとんどが接種済みだから、彼らが死ななければ、死者数は断然減るわけだ。50代にも割合早めに接種が進められているし、私みたいに職域接種をする人間がかなり増えてきた。

髙橋　職域接種はかなり大きいよね。あれを失敗だと批判する人がいるんだけれど、それは「ワクチンを打たせない派」の人の策略から見ると、失敗なんだろうな。それはそうだろう。職域接種はワクチン打たせない派にとっては天敵だろうからね。

　ワクチンを打たせない戦略はたくさんあったんだよ。まずは、ワクチンをアメリカから調達できなかったらアウトだった。これについては今年4月の日米首脳会談で訪米した菅総理がファイザー社のCEOに電話で直談判し、日本国内の接種対象者に必要な量を確保するのと同時に、追加の供給まで要請した。これを見たワクチンを打たせない派の人は焦ったらしい。

次に攻めたのが、ワクチンの打ち手(医師、看護師)が足りないと言って、騒ぎ出した。そこは超法規的措置を発動してクリアした。その前に昨年の補正予算のときに、ファイザー(マイナス75度)とモデルナ(マイナス20度)は冷凍しなければならないため、実は政府は1万台の専用冷凍庫を準備していた。

通常、1ヵ所で100人に打つのに約3時間を要する。つまり、昨年の時点で1日100万人接種が可能となるように専用冷凍庫1万台を用意したわけ。これは予算をつければできるからね。1日100万人接種を可能にするためには、あとは物流の問題がある。

上念 最初は少々混乱したけれど、それもクリアしたでしょう。

髙橋 物流は在庫問題と一緒だから、煽られはしたけれどたいした問題は生じなかった。接種を多様化して、企業や大学、かかりつけ医、集団接種、大規模職域接種までバリエーションを増やした。これは結構うまくいったね。

上念 1日120万回とか140万回だとかの接種がなされて話題になっていました。

髙橋 あれはやりすぎだよ(笑)。でも、悪くはない。別にやれるときにやってしまっ

人口100人当たりのワクチン接種者数（日次データ）

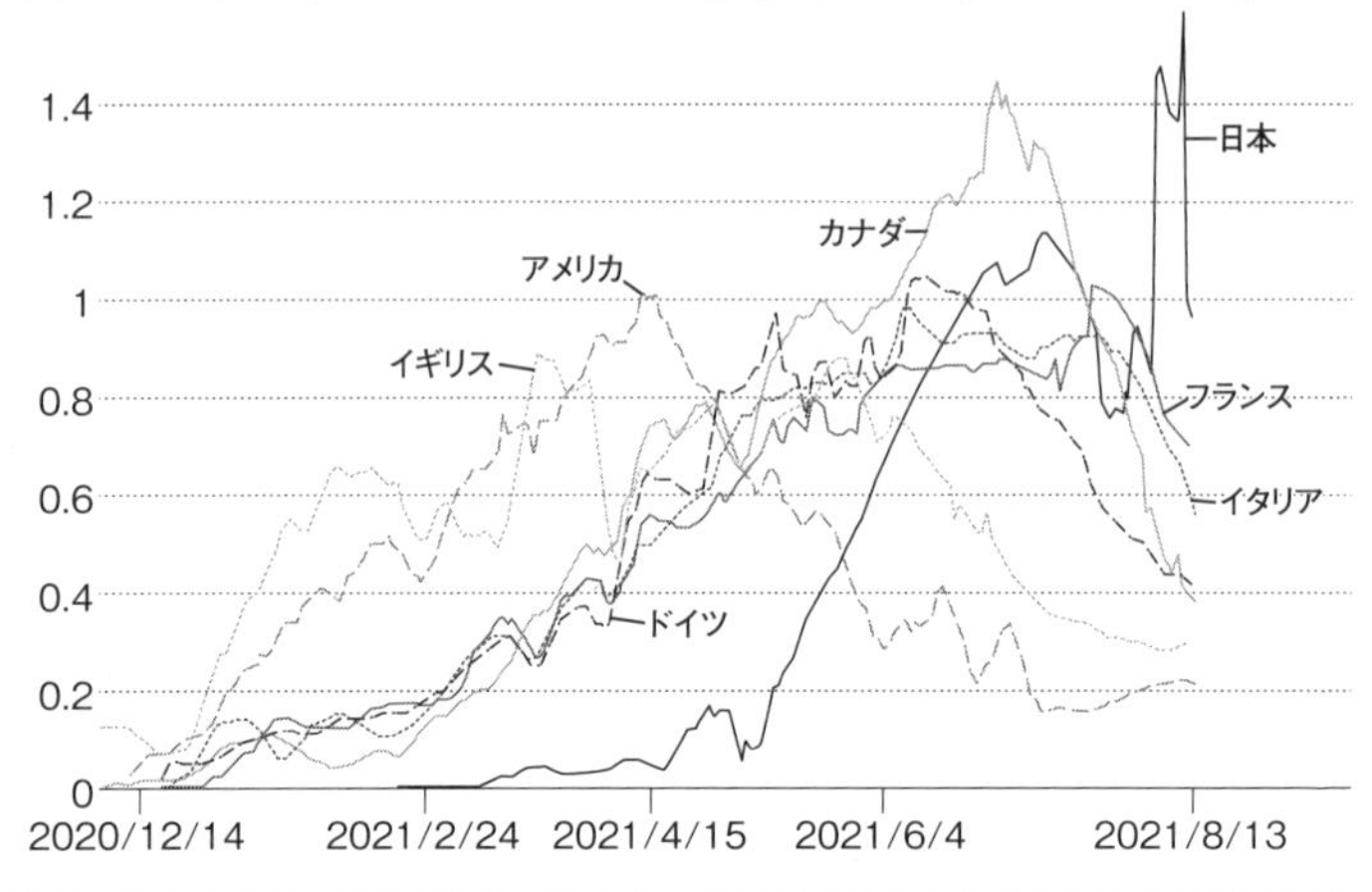

Source:Offcial date collated by Our World in Data.For vaccines that require multiple doses, each individual dose is counted.
（資料）https://ourworldindata.org/explorers/coronavirus-data-explorer

たほうがいいんじゃないの。そうするとワクチンが足りなくなって、そこは批判する奴が出てくるんだけれどね。

上念　でも、再度調整して供給の問題はなくなりました。

高橋　外から入ってくるワクチン数は3億本はあるから、マクロ的にはまったく大丈夫だよ。あとは国内問題だけれど、それも冷凍庫が1万ヵ所にあるからね。

上念　あとはワクチンで問題なのは、3回目のブースター接種をどうするかでしょうか？

高橋　だから、先にも言ったでしょう。だいたいこれから毎年ワクチンを打つようになるから、3回目、4回目もみんな打つことになるでしょう。変種になると効き目が悪くなるのでね。だいたいみんなコロナのワクチンなんて一生に1回だなんて勘違いしているけれど、そうじゃないんだ。インフルエンザみたいに毎年打つようになるよ。

上念 そうか。日本脳炎ではなくてインフルエンザみたいにね。

高橋 抗体がずっと残るタイプではないから。ウイルスの性質としてはふつうのインフルエンザに近い。そちらの系統だと思う。そうすると1回で終わるという話にはならない。

上念 mRNAワクチンが変異に対して対応力があると聞いたのですが。

高橋 メッセンジャーのほうのRNAがいくらでも対応できるからね。でも、どんなワクチンもけっこう対応はできると思うよ。なにかワクチンの種類によってあれこれと解説する人がいますね。それはあるのかもしれないけれど、打たれている側からはよくわからないよ（笑）。

医薬品メーカーにしたって、毎年変種が出てきて、毎年新たなワクチンを出すほうが儲かっていいんじゃないの（笑）。

上念 「ワクチンをつくっている組織が、ウイルスをバラ撒いているんだ」って言う人もいます。

高橋 バラ撒いているんじゃなくて変異するんだから、しょうがないよ。ウイルスだって殺されたら困るから、ちょっとずつ変化するんだよ。ウイルスのコピーはなかなか正確だけれど、完璧ではないからね。

上念 雑なところがたまにあるようです。

髙橋 それは仕方がない。コピーはかなり正確にはできるのだけれど、コピーミスはあるものだよ。そのレベルのことを、なぜ日本の中学校の理科で習わないのかな。教育が足りないんだよね。その教育が一番足りない人がマスコミ。最後は結局そこに行くんだけれどね（笑）。彼らはド文系の高学歴。はっきり言ってたいしたことはないね。P値とか知らないでしょう？　いろいろな効果を比較するときに、もし同じだったと仮定するとこれだけの差がでないからP値がいくらだとか説明するのだけれどね。

P値のPとはプロバビリティのこと。アメリカのニュースショーなどを見ていると、P値の説明をするんだよ。要するに、P値が小さいということはすごく確率が低いから、滅多なことではありえないことだって。優位の差があるかどうかについても、すべては数字の話なんだよ。

上念 実際、今の状況は「さざ波」ですよね？

髙橋 私が言った「さざ波」とは、第5波以降は新規感染者の意味がないよということ。死者は今でもさざ波だけれどね。リスク計算するときには死者で見るものね、私は。

上念 だから、世の中が感染者数から死者に視線を完全に移せるかどうかでしょうね。

テレビは煽りまくるでしょうから。感染者数がこんなに増えてしまった、医療崩壊だと。

髙橋　その病院やドクターは大変かもしれないけれど、死なきゃたいしたことはないだろうと。

上念　感染者が増えると自動的に重症者数も増えて、自動的に死者も増えると考えているんですよね。

髙橋　自動的ではなく、まったく逆。〝比率〟が違うのが現実なんだよ。だからそれはそれで、きちんと説明しなければいけない。死者についてはG7で最低ラインなんだけれどね、日本は。

上念　そういえば、石川県の谷本正憲知事がSNSでいいことを言いましたよね。感染者の数だけ追ってもしょうがないだろうって。死者は少ないのだから、死者のほうを見て対策を講じないといけないのではないか。その後、SNSは炎上しましたけれど。

髙橋　これは私のさざ波と同じような意味で、いわば「言葉狩り」なんだよね。

上念　死者のほうを見て対策を講じるかどうか。ここがすべてを決める気がします。日本経済がのるかそるかも、そこにかかってくる。

髙橋　ただし、世界が「ワクチンを打っていれば行動は自由」という方向に向かっているからね。東京で五輪を開催して、多くの国から人がやって来たから、われわれも世界標準がよくわかったよね。これからはワクチンパスポートを持っている人は入国オーケーが国際常識になると思う。こうした動きが日本国内にも波及するはずだよ。

上念　その意味ではプラス要素としてはワクチンの普及が進んでいること。さらに死者が少なければ行動制限が解かれるのは世界的な流れになること。日本だけは違う、は成り立たない。

髙橋　その流れに反対しているところをマスコミが煽るんだけれど、反対している人たちの数と賛成している人たちの数はそうとう乖離している。たとえばフランスでは7割が賛成している。ごく少数が反対しているが、それは大きな意見ではない。それをマスコミは大きな意見のように扱う。

ワクチンについては、海外の事例などから効果があると主張してきましたが、第1～4波と第5波を比較すると、かなりはっきりしてきた。第1～4波は、感染者数約79万人で死者約1万4500人、死亡率は1・8%だったが、第5波は9月25日までの感染者数が約91万人で死者約3000人、死亡率は0・3%だ。これはワクチン接種のおかげで、海外でも同様の結果だ。

上念　扱うのでしょうが、選挙では本音が出る。だから意外と投票行動においては自民党が大負けしなかったりするかも。

第4章

経済政策の裏側

社会主義から環境、人権、脱原発に乗り換えた人たち

上念　『自由と成長の経済学「人新世」と「脱成長コミュニズム」の罠』（PHP新書）という本が2021年8月に出ました。著者は柿埜真吾氏。マルクス主義経済思想家の斎藤幸平氏が書いた30万部のベストセラー『人新世の「資本論」』（集英社新書）の批判本です。『人新世の「資本論」』の内容はマルクス主義の蒸し返しで、資本主義が残っていると経済成長が続き、環境が破壊されて人類が滅ぶから、資本主義はやめなきゃいけないと決めつけている。これをとんでもないと切り返したのが柿埜真吾氏というわけです。

髙橋　時々江戸時代まで戻ろうと主張する人がいるからね。

上念　その代表格が「人口デフレ」を説く藻谷浩介氏です。斎藤幸平氏らは「資本主義はもう限界」「脱成長コミュニズムが世界を救う」って持ち出してきています。

髙橋　資本主義から戻るっていうと、やっぱり江戸時代になっちゃう（笑）。江戸時代よりちょっと前に戻らないと、資本主義ができちゃうもの。

上念　その当時は今の100分の1以下ぐらいの豊かさですよね。

髙橋　その時代に戻ったら大変なことになるよ。

上念　江戸時代末期の日本の人口は3000万人です。

髙橋　タイムマシンを発明しなきゃ無理だ（笑）。まあ、それに近い議論だと思うよ。

上念　でも彼らは「資本主義は限界だ」と言っています。

髙橋　タイムマシンで戻れば、人口も少なかったから戻れるでしょう。でも、今の人口で戻ったら大量殺戮になってしまう。

上念　ですね。4人に3人は死んでしまいますよ。

髙橋　そのぐらいしないともたない。だから、「君たちは本当は大量殺戮を目論んでいるんだ」そのくらいのことを言わないとね。向こうの暴論に対抗するのは、超暴論でなければならない。

上念　（笑）共産主義者は人を殺すのが好きですからね。全世界で何億人も殺していますからね。

髙橋　大量虐殺を狙っているのと一緒でしょう。そうじゃないとちょっと辻褄が合わない。だからタイムマシンを開発するのが無理とすれば、大量虐殺になってしまう。そう思うくらい荒唐無稽な話なんだよ。斎藤幸平氏のはね。

上念　彼は「環境問題で資本主義は終わり」と主張して

斎藤幸平著
『人新世の「資本論」』

柿埜真吾著
『自由と成長の経済学』

いるけれど、環境問題で資本主義は終わるのでしょうか？

髙橋　半世紀前にも「環境問題」を叫ぶ人はいた。その頃は共産主義が残っていて、彼らにはまだ夢があったんだよ。だから環境問題の論点ではなくて、共産主義を語っていた。でも、ベルリンの壁の崩壊でみんなアウトになっちゃった。それ以降は言うことがないから、そこで環境の話に特化してきたんだね。

上念　なるほど。

髙橋　…というのが、私の社会学的な考察です。もう何かに乗るしかないってことだ。だって、それまでずっと「必ず共産主義が勝つから見てろ」と言っていたわけで、それが敗北したから、彼らはもう言うことがなくなった。彼らがみな環境主義者になっているのは、共産主義から環境に〝乗り換えた〟からだよ。

上念　うーん。彼らは環境を運動的に言っているだけだから、別に科学的に環境はダメだと言っているわけじゃないんですね。

髙橋　共産主義が駄目になったのが事実でも、それは言えない。他のことを引っ張り出して言わざるを得ない。だから人権とか環境とかに分化してきたんだ。人権に行っている人もいるし、環境に行っている人もいる。脱原発もいるけれど、根っこは一緒で、昔は「共産主義は立派だった」と言っていた人が分かれただけだよ。そういうふうに私は見ている。ああいう連中はいつも何かを言いたくて言っている。それだけの話だよね。

上念 柿埜氏は自著のなかで「最悪、地球の気温が4度上がったとしても、GDPはせいぜい4％か5％ぐらいしか減らず、それ以上に経済成長するからやっぱり資本主義は捨てないほうがいい。たとえば20年後は多分今の2倍ぐらい豊かになっている」と語っています。

高橋 先の話だからどうとでも言えてしまう。けれども、資本主義でなかったら何なのかって話になるかもしれない。

上念 斎藤幸平氏は「資本主義をやめろ」と言って、「GoogleとかAmazonがやっていることは公共財だから、国有化したほうがいい」とまで言っています。

高橋 (笑) Amazonは笑って聞き流すでしょう。

上念 Amazonに「嫌だ」って言われて終わりですね。ばかばかしい(笑)。

高橋 こういう人たちは空理空論が好きなんだけれど、彼らには中国に行ってもらったほうがいいよね。もう日本では要らないから。

わずか5%でしかない共産主義国の成功確率

上念　それをやろうとしていますもんね、中国は。いろいろなものを猛烈なスピードで国有化しようとしています。

髙橋　うん。中国の実態を見ていれば、自分たちの愚かさがわかるんじゃないのかな。でも、さすがにあそこまで国有化し出すと苦しい。何か「金の卵を産む鶏」の首を絞めているような感じだよね。あれをやると、技術開発はもう絶対にできなくなってしまう。国有企業には技術開発力などまるっきりないからね。過去に共産主義対資本主義の体制間競争を行って、共産主義は惨敗した。もう答えは出ちゃった。

上念　なるほど。

髙橋　なのに中国はもう1回やろうとしている。普通に考えると「1回起こったことがまた起こる」という理論しかないのだけれど、「今度こそ見てろ」っていうのが、共産主義の理論でしょう。「今度こそ見てろ」って言うんだけれど、見ているとどうも怪しいね（笑）。

上念　（笑）前回も「今度こそ」って言ってませんでした？　みたいな話ですか。

髙橋 前回と予測が似ているから、2回目だから〝This time is different.〟じゃなくて、また繰り返されるんじゃないのって。

上念 その点に関しては先に紹介した柿埜氏も指摘しているのですが、古代からチャイナの王朝はいろんな発明をしたり、社会制度上の革新的な仕組みを結構早く導入したりしたんですよ。

たとえば、「中統元宝交鈔」という紙幣が世界で初めてモンゴル帝国時代に導入されているし、明の時代にも「大明宝鈔」という紙幣が流通していました。火薬も羅針盤も発明しています。でも結局、イギリスみたいに私有財産をきちんと認めない「皇帝と奴隷」の国なので、偉大な発明を使って「世の中のために何かつくろう」とか「これで儲けよう」と考える人が出てこなかった。最終的には産業革命、つまりイギリスで資本主義が発達するまで、これらの偉大な発明は人類の経済厚生を向上させるために使われることはなかったわけです。

今の中国でもまったく同じ方向性ですよね。私有財産制を否定する方向ですから、これは良くない。

髙橋 「資本主義は限界です」と言われても、限界になるときに他のものがないと、限界にならないよ。それでおしまい。だから代わりのものは理想にすぎない。共産主義と言う人がいるかもしれないけれど、今のところ考えられる体制は共産主義と資本主義しかないんだよね。共産主義の根っこにあるのはむろん共産党だけれど、これまで歴史上存在した共産党は100いくつあった。でも成功の確率は5％くらいでしかなかったんだよ。つまりきわめて打率の低い体制といえる（笑）。だから私は信用していないんだよ。

上念　データをとったら打率が低すぎたわけですね。

髙橋　無視できるレベルだね。5％ぐらいの成功確率は、普通は意識もしない。だから私が政策担当者だったら、あえて5％ぐらいを選ぶのは難しいな、ってなってしまう。

上念　でも残っている共産主義国のうち、中国とベトナムは共産主義のオリジナルの政策を捨てて経済成長しています。あとはラオスとキューバとベネズエラと北朝鮮か。

髙橋　オリジナルを捨ててもあのレベルだからね。6国のGDPを足し算したって、中国もベトナムもインチキしているけれど、インチキして足し算しても、大したシェアではない。だから私は打率の悪い政策はやらない。

上念　なるほど。そういうことですね。

髙橋　打率的に見る癖は文系の人にはないんじゃない。私は打率で全部過去を見る。「5％ではね」と思うわけ。5％に賭けたいと言う人がいるかもしれないけれど、とんでもないギャンブルだと思うよ。

上念　左翼の人はバッターでたとえるなら、昔偉大なバッターがいて、その子孫だからすごい、みたいな。そういうのが多いですよね。「そいつの成績を見てみろ、とてもプロ野球なんか通用するレベルじゃない」「いやいや、こいつは○○選手の孫だからすごい」って、そんな感じですよ。

今度柿埜氏の本で批判されている斎藤幸平氏のロジックもまったく同じで、彼はへんてこなマルクスの読み方をするんです。マルクスが死ぬ前に頭がおかしくなって書き残した駄文があるんですけれど、それを再構成して、共産主義の法華経みたいなのをつくった。斎藤幸平氏は「そこに環境問題で人類が滅ぶと書いてある‼」と言っているわけです（笑）。

マルクスはバカだった

髙橋　マルクスについて話すのであれば、私はもっと強烈な著作を知っている。マルクスは『数学ノート（数学手稿）』を書いたんだが、これを読んだら、彼がものすごいバカなのがわかるよ。

上念　え！　そうなんですか（笑）。

髙橋　あれっ、こんなのがわからないのかな。正直言ってそう思うけれど、バカに数学あとで変数の実際の関数に適用すべき演算を指示しているにすぎない，ということである．

2)　$y=ax^m$.

x が x_1 になると，$y_1=ax_1{}^m$ となり，かつ

$$y_1-y=a(x_1{}^m-x^m)$$
$$=a(x_1-x)(x_1{}^{m-1}+x_1{}^{m-2}x+x_1{}^{m-3}x^2+\cdots\cdots+x_1{}^{m-m}x^{m-1}).$$

したがって

$$\frac{y_1-y}{x_1-x} \text{　または　} \frac{\Delta y}{\Delta x}=a(x_1{}^{m-1}+x_1{}^{m-2}x+x_1{}^{m-3}x^2+\cdots\cdots+x_1{}^{m-m}x^{m-1}).$$

そこでこの「予備的導関数」に微分過程を適用すると，

$$x_1=x \text{　または　} x_1-x=0$$

となり，こうして

$$x_1{}^{m-1} \text{　は　} x^{m-1} \text{　に，}$$
$$x_1{}^{m-2}x \text{　は　} x^{m-2}x=x^{m-2+1}=x^{m-1} \text{　に，}$$
$$x_1{}^{m-3}x^2 \text{　は　} x^{m-3}x^2=x^{m-3+2}=x^{m-1} \text{　に，}$$

そして最後に

『マルクス数学手稿』菅原仰訳・大月書店より

をやらせると、本当にバカなことを書くんだよ。完璧にすぐわかるような数式をずっと考察しているんだよね。マルクス経済論者は『数学ノート』には高尚な意味があるのだろうという解釈をするのだけれど、大間違い（笑）。バカが何を無駄な解釈しているんだ、で終わってしまう。『数学ノート』はマルクスの死後の書なんだ。

上念　マルクスの『数学ノート』の駄文を、深淵があるのではないかといろいろ考えて、偏差値が高い奴がこねくり回して、まさにカルト教団ですよ。

高橋　彼らはどうして偏差値が高いんだよ？

上念　ほら、オウム真理教には高学歴な奴がいっぱいいたじゃないですか。麻原彰

晃の言っていること、ほとんど意味のないことを信じちゃって。

高橋 ああ、あれは洗脳されちゃっただけの話だよ。偏差値の高い奴が時々洗脳されることはあるんだよね。数学とは感情とか、主張とか、そういうものとはまったく無縁の世界なわけだよ。解けるか解けないかだけ。だからマルクスの『数学ノート』を見たときに、ほんとにすげえバカだなと。こんなバカの『資本論』を読むのは意味がないと思った。

上念 時間の無駄だと。

高橋 当たり前だよ。ああした論理思考をもつ人間が思っていることなど、推して知るべしだからね。向こうは一生懸命書いたんだけれど、私が学生のときに『資本論』を読んだときに、一番最初にこれは「読む価値なし」と断じた理由が労働価値説なんだよ。これはまったくの間違い。価格が労働価値で決まってくる、っていうのはありえないよ。

上念 誤解を恐れずに言えば、労働時間が価値を決定するみたいな話ですよね。ゴールドは何で高いかというと、掘るのに労働力をいっぱい投入しなきゃいけないからって。

高橋 ビジネス論から捉えれば、価値は何で決まるかってわかるものだけど。

上念 マーケットで決まるわけですから、需給関係ですよ。

高橋 同じ水でも価格差ができる。たまたま同じ水でも、人気が出たらものすごく高い。だから労働価値説なんて最初から間違いなの。この手の論理は労働価値説を前提とした資

労働価値説【ろうどうかちせつ】
商品の価値はその生産に投じられた労働量によってきまるとする説。古典派は価値の源泉を投下労働に求めたが，利潤や平均利潤の成立を説明できなかった。K.マルクスが労働と労働力を区別，労働力商品が生産過程で余分の新価値たる剰余価値を無償で作るとしてこの説を完成。この説に対する批判として，限界効用説がある。

本論体系なんだけれど、一番最初の前提を間違っているとすぐに気付いたよ。
そのときの本音を言うと、「ああこれは全然違うな。違った前提からはとんでもない結論しか出ないな」としか思えなかった。

上念　藤野英人氏という「ひふみ投信」の運用責任者が、なぜわれわれは100円出してペットボトルの水を買ってしまうのかという話をしていました。よく考えてみれば、こんなものに100円を払うのは変ですよね。

髙橋　広告代とかを除けばほとんど原価なんてないに等しいと思う。だから逆に割と高く売れる。

上念　清涼飲料水はほとんど「冷やし代」って言われていますからね。

髙橋　要するに、付加価値と言えば付加価値なんだろうけれど、同じものをどうやって売るか、だけなんだよ。そこには労働価値説は一切ないでしょう。学生のときだから、

45年前の話だけれどね（笑）。

上念　結論が出ました。資本主義はもう限界どころか、社会主義が45年前にもう限界だと髙橋先生が見抜かれていた、という結論です（笑）。

髙橋　上念さんは私が東大の経済学部に行ったのを知っているよね。でも、私は東大の数学科を出たから本当はそこに行かなくてもよかったんだ。ところが大蔵省に入るときに、大蔵省の秘書課長から「どうしても中途採用っていう形で入らないでくれ」と言われた。「髙橋君、君が優秀なのは知っているけれど、今の状態の君を採用すると、2年前に卒業して2年間ブラブラしていた人間を採用することになるから」

夏に来春の大蔵省内定が決まった後、秘書課長から「髙橋君、申し訳ないけれど、経済学部を卒業してくれ」って言われたんだよ。その後が実に面倒臭かった。

上念　それで再度入学したんですか？

髙橋　私はちゃんと大学を卒業しているし、証書もありますと言ったら、先にもふれたとおり「2年間空いているから」と。「何とかできないか？」と教務に聞いたら、経済学部の全部の単位を取るしかないと言われた。

上念　半年で取ったんですか。すごいなあ。

髙橋　それにはズルがあって、東大の経済学部の教務の人に「大蔵省に内定しています」と言ったら協力してくれた（笑）。それは超裏技で、ルール上いいかどうかは別なんだけれど、科目を2個登録して、1個を本試験、1個を追試でやると、2倍取れるんだよ。そうやって全部取っちゃったの。そのときの必修が「マルクス経済学」だったんだね。でも、読まなきゃいけないじゃない。「もう、こんなバカな経済学、どうして皆勉強しているの？」と思ったよ。ただし、試験のときに本音を書いて落っこちたら困るだろう。だから、ネコを被ってそれらしく書いたよ。でも、「こんなバカバカしいことを勉強するのは嫌だ」と正直思った。

上念　やはり、共産主義が限界だったというオチの再確認ですね（笑）。

髙橋　労働価値説が間違っているんだから、そこから出てくる体系は全部間違いだっていうのが答えだよ。どうしてこんなバカをみんなが崇め奉っているのかなって。だから、その斎藤幸平氏も洗脳されたんじゃないの。

上念　なるほどね。それでは髙橋先生はジョン・メイナード・ケインズについてはどう捉えておられるのですか？

髙橋　ケインズは、影響を受けたイギリスの経済学者マーシャルについて著作のなかでこう記しているんだね。

「彼はある程度まで、数学者で、歴史家で、政治家で、哲学者でなければならない。彼は記号もわかるし、言葉も話さなければならない。彼は普遍的な見地から特殊を考察し、抽象と具体とを同じ思考の動きの中で取り扱わなければならない。彼は未来の目的のために、過去に照らして現在を研究しなければならない。人間の性質や制度のどんな部分も、まったく彼の関心の外にあってはならない。彼はその気構えにおいて目的意識に富むと同時に公平無私でなければならず、芸術家のように超然として清廉、しかも時には政治家のように世俗に接近していなければならない。」

（ジョン・メイナード・ケインズ「マーシャル」『人物評伝』所収）

私はそれが正しいと思う。そういう意味では私もただ数学ができるだけでなく、歴史もわかっていて、さらに多くの分野に興味をもって活動している。

一個だけでやる奴って文系に多いんだよ。文系の奴はまず数学ができないから、そこですでに「総合的に」という枠からは外れる。ケインズはほとんど数学者だったから、そういう素質はあるんだよ。

経済でまともな人はもともとみんな数学をやっていた人。私の知っている限りみんなそうなんだ。ミルトン・フリードマンもそうだしね。FRB議長だったベン・バーナンキもそうだった。高校まで理系でずっと数学をやっていた。だから経済学をきわめるには数学の能力が絶対に必要。歴史なんかは後で勉強できるんだけれど、多分野の知見を組み合わせてやるのが経済学論なんだよね。

上念　自由貿易主義を理論化したデヴィッド・リカードなどは株式仲買人として成功、市場で取引をしているなかでさまざまなことを悟った人ですよね。

髙橋　実は数学って、教育によって磨かれるものじゃないんだよ。

上念　じゃないんですか、やっぱり。

髙橋　残念ながら数学は教育とは関係ない世界なんだ。できる奴は最初からできる。

上念　できない奴はできない。リカードはできた上に市場にいた人だった、と言うことなんですね。

髙橋　市場にいてもわからないかもしれない。数学の能力は残念ながら生まれたときにもうほぼ決まっている。そういうことを教育者は言わないんだよ。だって教育の意味がなくなるじゃない。だから100メーター徒競走とそっくり。速い奴は速い。速いやつを教育するとさらに速くなる。でも遅い奴はいくらやっても遅いだろう（笑）。

数学をやっているとわかるでしょう。できない人はどんなに一生懸命に勉強してもできない。でも、できる奴はスッスとできる。でも、できる奴は勉強してきているわけではない。それが数学ってものなんだね。そこから思うと、マルクスは数学ができない人間ということ。

上念 今度やりましょうか、先生の企画で。髙橋洋一完全解説・マルクス『数学ノート』。
髙橋 すぐ終わっちゃうよ、私の場合は。「ここが間違い」で終わる。終わっている話をどうしてグダグダやりたいのかな？

デジタル人民元のプログラムをパクればいいだけのアメリカ

上念 じゃあ、次行きます（笑）。何か今後は共産主義の時代が来るので、アメリカの覇権は終わりだとか言っている人たちがいるのですが、本当でしょうか？
髙橋 資本主義と違う覇権がこれから生まれても不思議ではないけれど、共産主義の覇権はないと思うよ。次の覇権が何かは予測不可能だけれどね。
これまでイギリスの覇権、アメリカの覇権の時代があった。世界的な戦争があるとそういうことが起こるんだよ。だから戦争とか大きな出来事があった場合、新たな覇権国が生まれるかもしれない。
上念 そういう意味で言うと、ドルが基軸通貨じゃないですか。髙橋先生はビットコインの初期から関わられてきて暗号資産に精通されていますけれど、あれがドルの代わりに基軸通貨になったりしたら、アメリカの覇権が危なくなる可能性はないですか？

髙橋　ドルの代わりになることはない。技術的に考えると、実はドルがビットコイン化するからなかなか難しい。ＦＲＢだってバカじゃないから、相手が自分にないものを持っているのであれば、一番良い戦略はそれをパクることだよ。

上念　なるほど。

髙橋　だから私はドルが危なくなってきたら、仮想通貨の潜在能力を備えるために、ドルが仮想通貨化するのだと思うね。

上念　今、各国の中央銀行では仮想通貨を必死で研究しているようです。

髙橋　座して死を待つように、ドルが普通のカレンシーのままであるはずがないと私は合理的に思うからね。普通に考えたら、ドルをビットコイン化するのが一番簡単だよ。だからＦａｃｅｂｏｏｋが立ち上げた仮想通貨というかデジタル通貨……。

上念　「Ｌｉｂｒａ（リブラ）」だったのが２０２０年12月に「Ｄｉｅｍ（ディエム）」に変更されました。

髙橋　そのＤｉｅｍ（ディエム）をＦＲＢが買ってしまうんだ。実は仮想通貨のプログラムはほとんどみんな一緒で、革新性はない。そのプログラムを誰が使うかだけの問題なの。それを中央銀行が支配したら最強だよ。最強になるのがわかっていてしない手はないだろう。だってそれが合理的な思考というものだよ。

上念 なるほど。じゃあアメリカは逆に、ドルのビットコイン化を進めてくると考えたほうがいいですね。

髙橋 やられそうになったらやるでしょ、と私は言っているだけ。

上念 なるほどね。今、中国ではデジタル人民元を立ち上げている最中ですからね。

髙橋 それはそうだよ。だってあれは簡単なんだから。プログラムをコピーして持っていけばいいだけの話で、実は誰でもできてしまう。あんなものは頭をどこも使わないんだよ。プログラムをコピーするだけで、著作権はほとんどないから。あとは具体的なオペレーションを行えばお終い。お尻に火がついたらさっさとやるだろう。

上念 このところ一帯一路で中国はさまざまな発展途上国を支援しています。その一環としてデジタル決済のインフラを構築しています。中国はそれで世界中にデジタル人民元を流通させて人民元の覇権を確立しようとしている。そんなことを唱えている人がいるのですが……さすがにそれは与太話ですかね?

髙橋 仮にドルがデジタル化したとして、まったく同じものを中国がパクったらどっちが勝つんだよ。

上念 もともと持っている通貨の利便性、価値について圧倒的にドルのほうが上回っているので、同じ土俵だったらドルが勝つに決まっているって、普通は考えますよね。でも、

「先にやったほうが有利」とか言っている人がいます。

髙橋　コピーのほうがずっと簡単だよ(笑)。すぐできるよ。私がもしアメリカの当局者だったら、その状況に応じてコピってカウンターを打つ、で終わっちゃうよね。こういうのが合理的なんじゃないの。

だから、座して待つというのは、すごい不合理性を前提としているわけだよ。たとえば上念さんがワクチンを打とうというときに、「上念は絶対に打たないんだ」という前提を決める人がいたら、それは私から思うと「前提が間違っている。あんな目敏い上念さんが職域接種しないはずがないだろう」と思うんだよね。

こういうのは予測なんだけれど、相手のバカさを前提として予測するほうは負けるよな。

上念　なるほどね。そういう予想している人自体が、中国のプロパガンダの罠にはまっているということですね。

髙橋　バカか、プロパガンダか知らないけれど、この手のものを信じる人は、マルクスを信じるからなあ。マルクスを信じ込んで陶酔するような人でしょう。私から言うとバカだよ。普通にもうちょっと合理的に考えるだろう。

資本主義がいいのは、合理性を備えるちょっと鋭い人が社会的な評価を得るという仕組みであることだからだよ。マルクスを信じるような人は、中国のデジタル人民元だけが突出するっていう想定するのだと思うけれど、それはないと思うよ。

上念 そうすると、デジタル人民元でアメリカの覇権を突き崩すのは、どうも難しそうですね。

髙橋 デジタル人民元は本当に簡単で技術をパクれるから、ドルのデジタル化は米中同時にできる。アメリカは自分の優位のうちにカウンターを打つだけで済む。これを考えたら、勝負にならないだろう。

データがない中国が破綻したときの恐ろしさ

上念 アメリカの覇権という意味で、軍事力についてはいかがでしょうか？ もとよりアメリカは軍事費を世界で一番使っていますが、「2030年前後にはGDPも軍事力も米中逆転する」と予測する人も出てきています。

髙橋 それは経済問題との関係によるよね。経済の問題になると、私はずっと前から「中国の1万ドルの壁説」を唱えてきた。1万ドルとは一人当たりGDPのこと。

これは私の予想だけれど、これまで途上国、新興国で一人当たりGDPで1万ドルを超えた国は産油国を例外とすればほとんどないんだ。

中所得国の罠

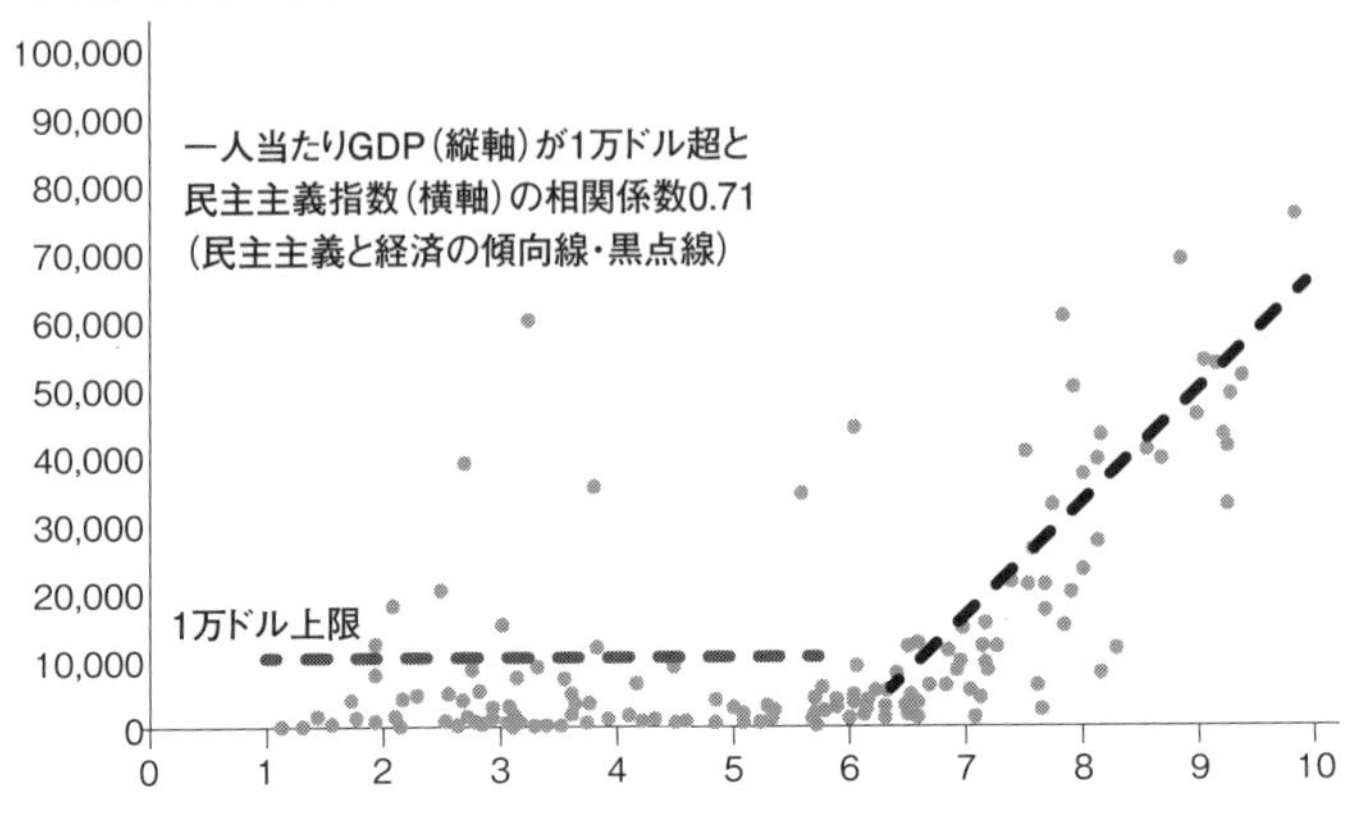

（資料）民主主義指数は、The Economist Intelligence Unit2020
一人当たりGDPは、World Bank

私はこれまでのデータや社会法則を信じるし、中国のほうもテック大手の阿里巴巴（アリババ）集団や騰訊控股（テンセント）を苛めたり、ついに技術革新のところに口を挟んだりしていることから、これからはダメになると予想しているわけ。中国の側に立つ人は願望を言うよ。私はそれに対して、今までの社会法則、過去のデータで対抗するだけだけれどね。

上念　その1万ドルの壁、今までだって超えた国はごく数えるほどですものね。

高橋　うん。中東の産油国が例外なのだけれど、それしかないんだよ。もともと共産主義国家になると技術開発がうまくいかないから、成長エンジンがどんどん弱くなる。そこのところは、あと10年か、もうちょっとしたらわかるはず。私が間違ったら謝るけれどね。

上念 先生は90年代の不良債権の処理に非常に詳しいですけれど、今の中国の経済状況は日本の90年代に酷似しているのではないかと、巷間言われております。

髙橋 データがないからわからない（笑）。

上念 そうか、日本はデータが見られますからね。

髙橋 私はね、データがないと弱いんだよ、正直言うとさ。

上念 まともなデータがないですね、確かに。

髙橋 データがないと逆に、処理も難しいんだよ。90年代の不良債権処理がうまくできたことについては、一般の人は知らなかったはずだよ。私は大蔵省の金融検査部にいて、長銀（日本長期信用銀行）などの検査を担当していたので、長銀がすぐに潰れることは知っていた。

上念 髙橋先生が検査に入ったときにはすぐに潰れると決まっていた。

髙橋 私にはわかっていた。潰れるとわかっていても、誰にも言えない。本当に大変だけれど、言ってはいけないしね。金融検査部の何人かしか知らないわけ。そのときにね、長銀で後に頭取になる人が私のところにこっそり来たんだ。サシで会って、長銀の再生策をいろいろ相談された。私の答えは「何をやっても無理です」だったね（笑）。可哀想なんだけれど。

「これだけ不良債権があるから、どうあがいても無理です」って言ってしまったよ。「でも、一応不良債権処理だけはしなくてはいけないから」と彼から言われたので、真面目に取り組んだんだけれどね。

上念　中国では、真面目に不良債権処理をやったら潰れてしまう企業は多いかもしれないけれど、それもわからないですよね。

髙橋　わからないよ。でも、はっきり言うと、統計をずっとごまかし続けて、それでなんとか追い増ししていれば、実はなかなか潰れないんだ。

上念　それで究極的にはどうなるんですか？

髙橋　風船は膨らみ続けたら、いつかはパチンと割れるのはわかるんだけれど、それがいつかはわからない。予測するのは無理だよ。そのいつかは100年後かもしれないし、10年後かもしれないし、わからないよ。統計がいい加減な国には、こういうことがあり得る。

上念　もしその「いつか」が来たときにはどうなるんですか。中国は？

髙橋　大きなのがパチンとなったら、もう社会混乱になるよね。だから日本の銀行の不良債権処理のときに、すごく大きくなりそうだったから、その手前でパチンとやったんだけれどね。

上念　それでも、日本の銀行の不良債権処理には、10年かかりましたよね。ぶっちゃけね。

髙橋　10年で良かったんだよ。あれがもっと大きくなったら大変だったんだ。

上念　中国ではもっと大きくなっているんだとしたら、処理に100年はかかるんじゃないですか。

髙橋　まぁ徳政令を出しちゃって、最後は滅茶苦茶をやるんじゃないのかな。そこで大混乱するから、政権がぶっ倒れるかもしれないけれどね。そういうことになるかもしれないし、まあここで予測するのは無理だよな。普通の統計がないんだから、不良債権のデータなんてさらにわからないよ（笑）。ただ明らかなのは、当局が何をしていいかがわかっていないということだね。

上念　これはナイトの「不確実性の問題」みたいになってきました。真の不確実性ですね。

髙橋　何をしていいかわからないというレベルだから、大変だと思うよ。

上念　そうすると「アメリカの覇権が終わりですか？」なんて考える前に、中国が覇権を目指すこと自体が、途中で終わるかもしれません。

髙橋　経済が伸びなくなると、不良債権問題が噴出してくるのだと思う。

上念　今の中国はまさにそういう状態ですよね。

髙橋　今、中国の一人当たりＧＤＰがようやく1万ドル近くになっている。ひょっとしたら統計がインチキで、本当は５０００ドルぐらいかもしれないんだよ。そうすると、もうちょっとの間は大丈夫になる。

上念　ああ、これまで盛ってきた部分があるので。

髙橋　盛っている部分くらいは大丈夫かもしれない。だからいろいろと余裕を見なければいけないんだけれど、私は今後10年間ぐらいは持つというふうに思っている。その間ぐらいはまだ命があるんじゃないのかな。中国は。ただし、個別にはいろいろな問題が出てくる可能性も否定できない。

上念　まさに日本の90年代ですね。日本はそのあとは２０１２年までデフレになりました。

髙橋　不良債権問題は虫歯に似ていて、歯医者にかかったときには〝抜く〟しかないんだ。正直に言うと今までの経験でも、自然治癒はまずない。これが私の不良債権論だね。中国も10年後くらいには、根本的な解決策を求められることになるでしょう。ただ、もっと早く来るかもしれないけれど。

インフレターゲットの本当の意味

上念　それでは次にいきましょう。世界的なディスインフレと低成長は今後も続くのでしょうかそれとも、終わるのでしょうか？

髙橋　際立った技術革新がない限り、低成長だろうね。デジタル分野で際立った技術革新があるかもしれないけれど、これは予測不可能。

上念　低インフレの時代は続くんですか？

髙橋　これはコントロールがうまくできるようになっただけの話だよ。言ってみれば、サーモスタットがついたって感じ。

上念　でも、２０１９年のジンバブエでは前年比で５６０％の悪性インフレを経験しています。

髙橋　すごいインフレは国によってはたまにはあるよ。でも確率的には少なくなった。

上念　そういう意味で言うと、サーモスタットをちょっとぶっ壊しているのが最近のトルコでしょうか。

髙橋　サーモスタットの幅が広いとか（笑）。

上念　幅が広いんだ（笑）。インフレ率年間20％ぐらいまではオッケーということですか。

髙橋　国際基準として、インフレ率30％までは実は良い経済状況とする見方はあるんだよ。ただし、1万％とかは滅多にない。変な独裁者が出てくると時々はあったんだけれど、確率は減った。

上念　あのギリシャでさえインフレ策を採ってデフレでしたからね。もちろんユーロだからインフレになりようがないんですけれど。

でも、いくら金融緩和をしても、日銀は2％のインフレ目標を達成できないと批判する向きもありますが、日銀はどうなんですか？

髙橋　達成できなくたって失業率が下がればいいんじゃないの。私なんか別に、2％を金科玉条とする必要はさらさらないと思うよ。

というより、インフレターゲットの意味をみんなわかっていないのではないかな。要するにインフレターゲットっていうのは、失業率を下げんがために金融緩和をしていいということ。ただし、ものすごく金融緩和をすると、失業率があるときから下がらなくなるでしょう。だから失業率が下がらなくなったら金融緩和をしてはいけないわけだよ。

その限界を一つの目安として示したのが、インフレターゲット。だからこれは失業率の問題なんだよ。失業率がずっと下がらないにもかかわらず、金融緩和をし続けると、今度はインフレ率が上がる。インフレターゲットじゃ、これはまずいというレベルにならないように、抑えているだけなんだね。

上念 なるほど。浜田宏一先生も似たようなことをおっしゃっていましたね。

髙橋 私は普通の理論を言っているだけだもの。インフレターゲットの理解の問題なんだ。普通の人は「失業率を下げんがために」という目的を理解せずに、「インフレ率が」って鼻息を荒くするじゃない。でも私はいつも失業率を見ているだけだよ。

上念 どっちが手段でどっちが目的かという話なんですよね。

髙橋 目的は失業率。最終的には雇用の確保だよ。だから、どんな政府だって雇用の確保の話しかしないじゃないか。だから、インフレターゲットでインフレだけが最終目的だと思い込んでいるのは不勉強なマスコミのバカだけだよ。

おそらくインフレターゲット論をアメリカのプリンストン大学で勉強して日本に〝輸入〟した最初の人間は私だと思う。アメリカから帰ってきたときに言い出したら、みんなが「ええー!」とか驚いていたけれど、私は、バーナンキ教授（当時）が話したことをそのまま言っただけのことだよ。私のオリジナルでも何でもなくてね。

上念 だから、インフレ率2%未達の何が問題なんだと。

髙橋 うん。失業率が最低になっていて、それでインフレ率が2%まで行かなかったら、私は「ラッキー！」と思ったわけだよ（笑）。推計したら2％ぐらいまでと思っていたけれど、そこまで行かないでできちゃったからいいや。それでおしまい。

上念　じゃあ髙橋先生は仮に低成長のままでも、失業がなくなれば別にいいと考えておられると。

髙橋　私としてはね。

上念　ですよね。失業が最大の問題ですよね。

オークンの法則ぐらいは知っておこう

髙橋　でも、実質GDPの成長率と失業率の変化の間に負の相関がみられるという「オークンの法則」が示しているように、ある程度の実質成長がないと失業はなくならない。これを、両者がまったく別個に動いているように扱う人が多いんだけれど、そういう人たちはこのオークンの法則をわかってない。両者には関係があって、マクロ経済では一番重要なポイントなんだよ。なぜ数値を求めるかというと、オークンの法則があって、失業率を下げたいから。

上念　そういうことですね。資本主義を捨てて成長がなくなったら、失業が増えるって

オークンの法則

実質GDP成長率が上昇するほど完全失業率が低下するといった負の関係がみられる。

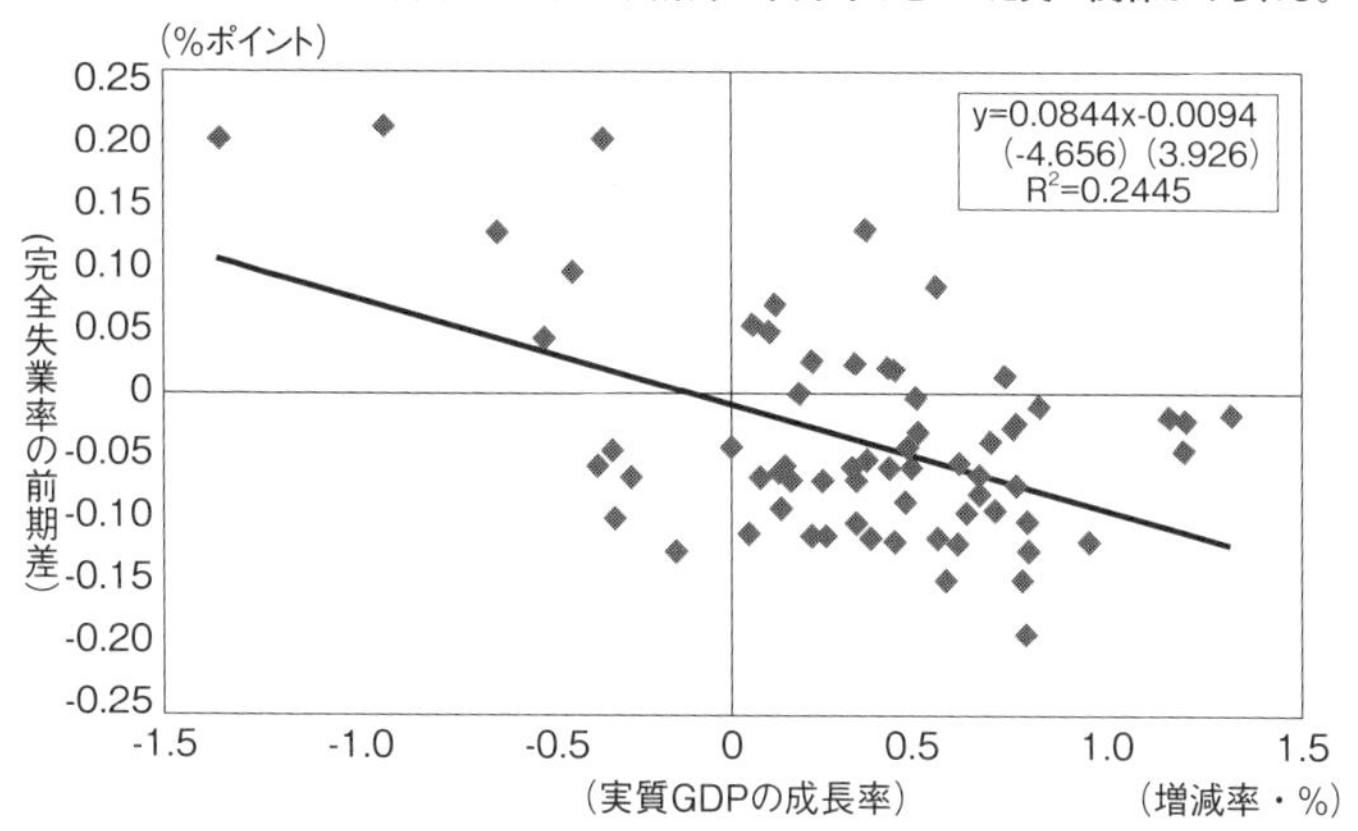

資料出所　内閣府「国民経済計算」、総務省統計局「労働力調査（基本集計）」をもとに厚生労働省労働政策担当参事官室にて作成

（注）1）2000年以降の四半期ごとの実質GDPの成長率と完全失業率の前期差の関係について、後方3四半期移動平均の数値を活用して示したもの。

2）時差相関を推計すると、完全失業率の前月差に対して1期前の実質GDP成長率の相関が高いことから、図の数値は実質GDP成長率に1期ラグをとっている。

3）推計式の括弧内はt値を示している。

4）図中では2009年4-9月期と2011年7-9月期の数値は異常値として除外して算出している。

いうだけなんですよね。これを斎藤幸平氏に言わなきゃ。

髙橋　成長なしで失業率を下げることは、オークンの法則からはできない。それを一度、テレビ朝日の本番で「ずっと低成長だと失業率が上がる」と言ったことがあるんだけれど、みんなが唖然として終わっちゃった（笑）。

　こうした相互連関が理解できない人はダメ。本を読めばわかる、経済学の本にはみんな書いてある。それで実際、ど素人にデータを渡してオークンの法則を体感させたこともあるんだ。ちょっと複雑なんだけれど、「このデータを取ってみな」とやらせると、「ああ〜」みたいな感じになる。

上念　同じように物価上昇と失業の関係を示した「フィリップス曲線」についてはどう思いますか？　あれも成立してないとか言う人も多いんですけれど。

髙橋　どのような期間で見るかだよ。成立してないっていうか、きれいな線にはならんよ。ただし大体でいいんだよ。その流れで。後は誤差の範囲だから。

成立していないとか言う人ってデータを扱っていないから、精密科学だと勘違いをするんだよね。社会科学は精密科学ではないからね。

上念　傾向が見えれば、別にそれでいいじゃん、ですよね。

髙橋　私なんか一桁でしかやったことがない。有効数字の感覚で言うと、ほとんど「何ポイントいくつ」ってあんまり意味がない。文系記者でよくあるのが、小数点以下をたくさん出してきちゃう人。これには意味がない、活字の無駄遣いだって。私は上一桁だって(笑)。なんで意味のないものを書くのかなって思う。なんであんな細かく書きたがるのか、不思議で仕方ない。有効数字という概念を知らないんじゃないの。上念さんは有効数字わかる？

上念　有効数字、はい、わかります。

またフィリップス曲線についていうと、完全失業率と、たとえば消費者物価指数とかでグラフをつくる人がいるんですけれど、完全失業率だと無業者とかが入らなかったりしますよね。ああいうのを入れたりすると、そのまま成立するんですか。

高橋 長期的にそういうことは現実としてあるんだけれど、長いスパンで見たら大体わかるよ。それで、有効数字を細かく「何ポイントいくつ」まで、NAIRU（ナイル、Non-Accelerating Inflation Rate of Unemployment）＝インフレを加速させない失業率というものがある。それについて、「何ポイントいくつ」とか細かくやると、どうとでも解釈できる議論になるんだよ。

たとえば私なんかいつも「2％半ば」っていう言い方をするんだけれど、これはあえて言うと、「2・2から2・8ぐらいまで」という意味合いなんだ。それでは広すぎると言う人がいるんだけれど、精密科学じゃないんだからしょうがないって、私は遣り返す。

上念 そんな細かい数字は。誤差の範囲……

高橋 「細かすぎて、実はもう無理」の世界。精密科学だと桁なんかも取らなきゃいけない。でも、こっちはそういう学問ではないもの。だから私だってバクっとした2パーセント台とか、そういう言い方しかできない。そういうもんなんだよ。

失業について話を戻すと、今は「これ以上は失業率を減らすのは無理だ」といった雰囲気になるんだね。この問題は精密科学ではないからね。日銀がやっている経済学の実証分析なんてデータが少なすぎて、データ50個程度ですから普通の分析ではない。普通は5000個はあるんだよ。

上念　二桁も違う。

髙橋　だからそれぐらいでないとちゃんとしたデータはできない。日銀データは月次データってやつだから、もともと無理なんだよ。無理だからそのときは、正当化するのは有効数字がもう一桁しかないですよ、と言えばできるんだ。それを下まで求めようとするとか、いろんな議論をしすぎているんだよ。経済学者がちゃんとした統計分析を学んでいないからね。

上念　ということは、世界的なディスインフレの傾向は失業が減っているのであれば別に問題ないけれど、減っていないのだったらまずいということですね。これが一つと、低成長は続くかもしれないけれど、オークンの法則に照らして、ある程度の経済成長があって失業が減っていく傾向にあるならば、別に低成長で問題ないというわけですね。

髙橋　オークンの法則について言い添えるなら、ある程度の技術革新の実現をしないと失業が増えてしまうかもしれない、ということだろう。ある程度は新しい仕事がないといけないんだよ。

GPIFを廃止、年金は物価連動国債で運用せよ

上念　新しい仕事がないと失業が増えるかもしれないということですね。次は少子化問題について語っていただきたい。昔は人口が増えすぎて人類が滅ぶって言われていたのですが……。

髙橋　人口が増えて駄目になるというほうがなにかもっともらしくて、トマス・マルサスなんかはそういう風に論じていたね。そして、少子化の何が問題なのか、と私は思うわけ。社会システムのなかにビルトインされて人口が増えるのだけれど、それでも人口がどう推移するのかはすぐにわかるでしょう。少なくとも長期予測は簡単なんだよ。そうすると、課題を認識して手を打てば、人口問題はすぐに解決されてしまう。

上念　何度も論破されている議論ですけれど、たとえば藻谷浩介氏あたりは人口が減ると耐久消費財を買おうとする人が減ってデフレになるとか、そういう珍妙な理論を唱えていますよね。

髙橋　そういうロジックが間違っている話って、対応策を考えても、間違った命題、間違った前提から、間違った結論を出すというのは、実は命題としては「真」なんだよ。だ

から、これについて反論はほとんど無理なんだよ。意味わかる？
命題全体として間違った前提で間違ったロジックということは、実はどんなロジックも正当化されるという意味で、真なんだよ。だからこれは最強なんだよ、はっきり言ってね。このロジックは最強で、破れないよ。
最初に命題が違っていることを示すと全部アウトなんだけれど、そこを言わない限りは最強なんだ。だからそれに対しての私のコメントは、「最初の前提が違っている」これだけだね。途中のロジックに入ると、大体は理系の人は〝負ける〟んだ。だって論理学として、議論命題のなかで導き出すのは完全に真だから。

上念　そうですね、ロジックとしては真になっちゃいますね。

髙橋　そんなのは聞いたときにすぐわかるよ。そんな細かいところを言わないで、最初の前提しか言わない。

上念　人口が減ったらデフレになるという説が、まず一つあるじゃないですか。もう一つは、人口が減ると年金とかいろんな社会保障制度が破綻するらしいということ。

髙橋　それは予測できるから簡単。
年金については私は実際にやっていて、2002年の制度改正のときに、人口が減っても大丈夫な制度をつくった。そのときの人口推計が間違っていたら私も大変だったんだけ

郵便はがき

料金受取人払郵便

牛込局承認

8133

差出有効期間
2023年8月
19日まで
切手はいりません

162-8790

東京都新宿区矢来町114番地
神楽坂高橋ビル5F

株式会社ビジネス社

愛読者係行

ご住所 〒 TEL: ( ) FAX: ( )			
フリガナ お名前		年齢	性別 男・女
ご職業	メールアドレスまたはFAX メールまたはFAXによる新刊案内をご希望の方は、ご記入下さい。		
お買い上げ日・書店名 年 月 日	市区 町村		書店

ご購読ありがとうございました。今後の出版企画の参考に
致したいと存じますので、ぜひご意見をお聞かせください。

書籍名

お買い求めの動機

1　書店で見て　　2　新聞広告（紙名　　　　　　　　　　）
3　書評・新刊紹介（掲載紙名　　　　　　　　　　）
4　知人・同僚のすすめ　　5　上司・先生のすすめ　　6　その他

本書の装幀（カバー），デザインなどに関するご感想

1　洒落ていた　　2　めだっていた　　3　タイトルがよい
4　まあまあ　　5　よくない　　6　その他(　　　　　　　　　　)

本書の定価についてご意見をお聞かせください

1　高い　　2　安い　　3　手ごろ　　4　その他(　　　　　　　　　　)

本書についてご意見をお聞かせください

どんな出版をご希望ですか（著者、テーマなど）

日本の出生率

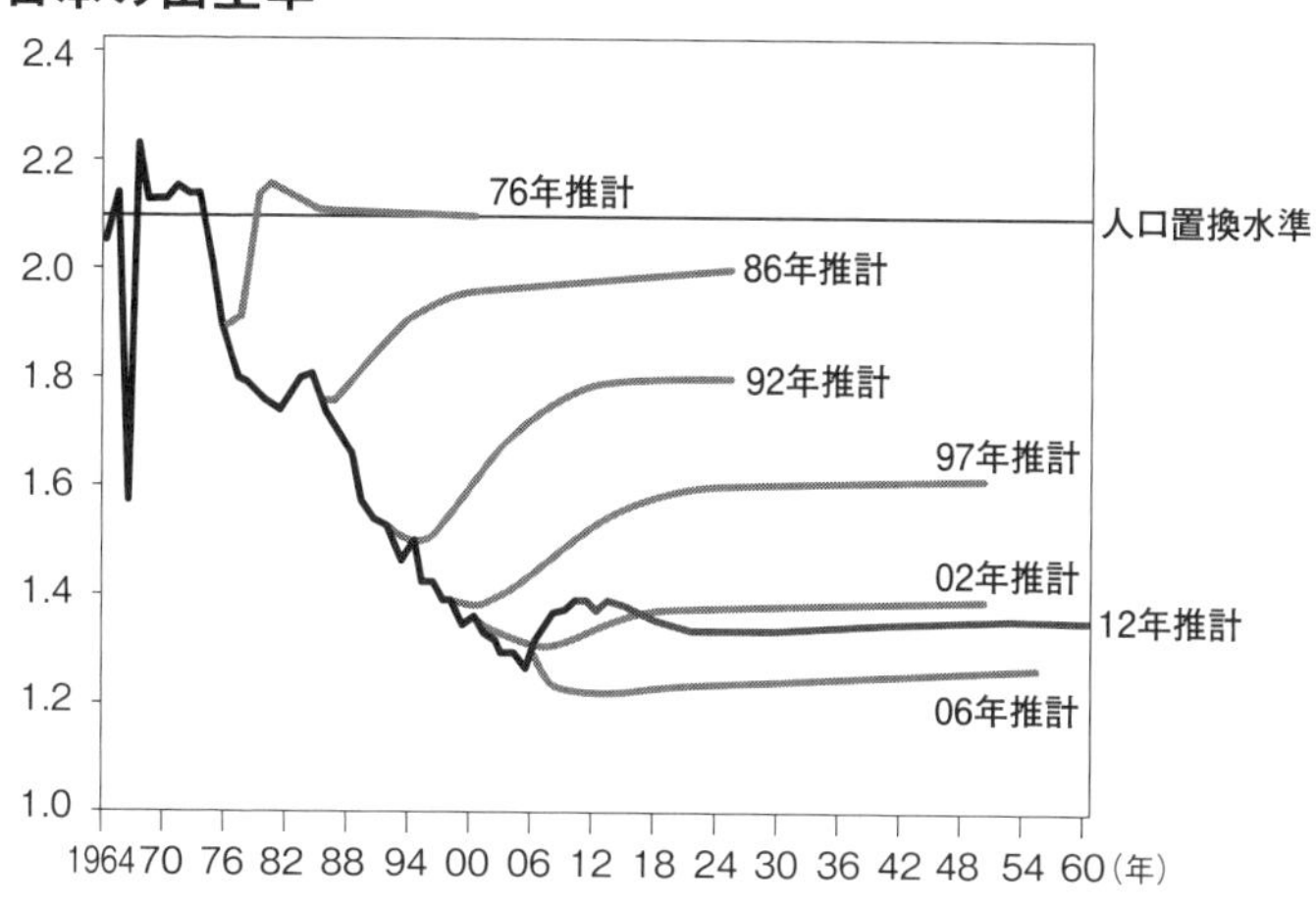

（資料）厚生労働省、国立社会保障・人口問題研究所

れど、２００２年の推計はほとんど当たっている。だからそういう意味ではそのときにつくった年金制度はまだ大丈夫だよ。さらにその推計が外れたら、新しく考えてつくり直せばいい。

上念　そうですね。もう一回保険推移で計算し直せばいいわけだから。

高橋　そうなの。だから問題があったときに、本当の問題は社会保障でなくはないんだけれど、ちょっと直して、それ以外の問題がさらに発生するのであれば、その都度直せばいいでしょう。

上念　だから人口は、将来予想が意外と簡単だっていうところもポイントなのですよ。そこにみんな多分気づいてないということですかね。

間違っている人も結構多くて、年金の問題については、ＧＰＩＦ（年金積立金管理運用独立行政法人）で運用しているお金で年金を払わなきゃいけないと思っている人が多いわけですよ。わかっていないんですよ。

高橋　ＧＰＩＦの年金財政全体に対する影響なんて８％程度だから、仮にＧＰＩＦが破綻したところで、年金の支給額に与える影響は全体の８％内外のレベルだから、どうってことはない。こういうのは、計算ですぐわかるんだけれどね。

上念　そもそも年金の運用が必要なのかという問題がありますよね。

高橋　要らないよ。だから全体の８％程度にリスクをかけてやるのは意味がないから、止めちゃえばいい。そのかわり私にはちゃんと一つの「解」があるんだよ。「物価連動国債」にすることだ。「ＧＰＩＦを廃止して、物価連動国債で運用すればまったく同じことができて、人件費だけが浮きます」。これをＧＰＩＦの理事長に言ったら、真っ赤になって怒ったな（笑）。

上念　ＧＰＩＦなんて廃止すればいいと思いますよ。高給取りを揃えて。運用だって下手くそだもの。

高橋　物価連動国債は私が財務省のときに提言した国債です。これはインフレ時には元本と利払いが増えるので、〝インフレヘッジ〟が完璧にできるんだよ。だから株式が要らなくなってしまう。インフレーションのときに債券だと、価格が追いつかないでしょう。その弱点を克服したのが物価連動国債なんだよ。

ＧＰＩＦの最高投資責任者（ＣＩＯ）に水野弘道って人がいた。物価連動国債の導入について水野氏に話すと、「そんなのはマーケットに出ていないです。現実を理解してくれ」と言ってきた。

そのときに、私募で財務省に頼めばいいといってやった。マーケットに出ていなくても私募といい、財務省がＧＰＩＦのためにご禁制のやつを出してくれる形式があるんだよ。でも条件はそのときと一緒だから、財務省にしてみれば公募にするのも、この私募でも同じ条件で、どっちも一緒。かつて私はＧＰＩＦの前身の年金福祉事業団が「大変だ、大変だ」と言っていたときに相対取引をずいぶんやったことがある。

上念　へえ、そうなんですか。実務で？

髙橋　実務で。そのときはまだ郵貯もやっていたんだ。郵貯も国債をマーケットで買うのは大変だと言っているから、「いいよいいよ、言ってこい。同じ条件でたくさん出してあげるから」（笑）。だってそっちのほうが簡単で、電話1本で終わるんだからね。郵貯の人も「いや助かった」と喜んでいたよ。だってマーケットで買うとすごくしんどいじゃない。

上念　大変ですよね。手続きに手間がかかったりしますからね。

髙橋　そうそう。しんどいんだよ、証券会社に頼むのと、財務省に直接頼むとの差だよ。

上念　株も動くしね。

髙橋　一定条件をつけて、相手が大蔵省に電話をかけてきて、私がオーケーを出せば、それでおしまいなんだよ。拒否したことはなかったな。そうやってルールだけ決めておけばよかった。

上念　じゃあ、これで年金は破綻しないとすると、少子高齢化は克服できそうですね。

髙橋　克服というか、年金の話については人口推計を間違うと年金も大変になるけれど、人口推計が当たっている限り、あの制度で大丈夫だよ。もしくは、外れたら制度を直せばいい。

上念　年金の運用制度自体もGPIFなんてまどろっこしいことをやらないで、物価連動国債を運用すべきですよね。それこそ間に1人担当者がいればオーケー（笑）。

髙橋　かつては郵政省と厚生省が相手だったけれど、そのときにも担当者は1人だった。1人の担当者が電話をかけてきて、係の私が受けておしまい（笑）。

上念　今だったらWEBフォームで終わりですね。人すらいらないですね。

髙橋　電話もいらないね。まあ、何かの通知は必要だと思うけれど、そのレベルだね。

ただ、いくらで売るかは重要なんだよね。一応入札が大原則になっているから。そうそう私募の相対取引で、サウジアラビアが「国債をください」と言ってきたので、超長期債を私募で出したことがあったな。買ってくれれば、どこだっていいじゃない（笑）。

上念 円建てですよね、それは。日本を応援しないと償還できなくなるので、一生懸命日本を応援してくれるんじゃないですか。石油も売ってくれますよ。

髙橋 全然悪い話じゃなくて、「外資に握られるとどうのこうの」と言う人がいるのだけれど、私は国債を発行することは、結構有利で合理的ではないかなと思っている。

上念 そうですよね。

髙橋 債権を持っている人は有利だと言われるけれど、案外そうでもないんだよ。

上念 今はアルゼンチンも国債の利払いを停止して粘っているじゃないですか。

髙橋 「払わない」って言えたら最強でしょう。国際社会で「払わない」と言ったって、別に取立屋が来るとかいうことはないから。国内だと破産させられたりして大変なんだけれど、こういうのって合理的な話が多いよな。

上念 予測できる大抵の問題は回避できます。最大の問題と言われている年金もこの程度です、というふうに髙橋先生に締めていただきました。じゃあ、次に行きます、

デジタル化が超苦手な法務省

上念　日本経済の課題について、移民を受け入れて少子高齢化を克服すればいいのだと語る人が結構います。移民受け入れにより日本の未来は明るくなるでしょうか？

高橋　この手の話、前提条件が違っているときには、議論しても意味がないから。克服できますから、別にご心配なく、で終わっちゃうよ。

上念　そもそも少子高齢化が問題ですらないので。

高橋　移民をどうのこうのっていうことに、立ち入らないで終わっちゃうでしょう。

上念　そういうことですね。ただ、労働力不足で移民を入れろ、みたいな意見があるんですが……。

高橋　労働力不足で移民を入れるときに、労働力としての移民制度はなくはないと思うけれどね。

上念　すでに入っていますよね。都会のコンビニの店員はほぼ外国人ですよ。

高橋　私はずっと指摘し続けているんだけれど、日本の入管法は海外の移民法と違い、入管手続きをきちんと行わないんだね。その最たるものが技能研修生だよ。技能研修生は

40万人程度いるよね。もう一つ大きいのは学生ビザで日本にいる留学生のアルバイト。彼らは一般的には就労ビザは下りない。学生は絶対に働いてはダメなの。ほとんどの国はそうだな。でも、日本では平気でしょう。あれはちょっとおかしいね。

技能研修は労働ではないと言うんだけれど、技能研修生と留学生、この二つにちゃんとビザを与えて管理したほうがいいよ。

上念　正確には技能研修生41万人いますね。

髙橋　これは労働管理していない世界だよ。彼らには就労ビザを与えてやったほうがいい。就労ビザを与えて管理するのが普通のやり方だと思う。留学生は何万人くらいいるの？

上念　留学生は28万人です。

髙橋　はっきり言って、労働管理ができていないんだよ。先進国としてはちょっといびつだけれど、学生ビザを与えるときに就労条件を与えたほうがいいよね。

上念　それで管理したほうがいいと。なるほど。

髙橋　他の国の移民法はどこでもそうなんだけれど、きちんと管理するんだよ。日本は管理していないから大変だと思う。

理由は外務省が管轄しているからだと思う。援助の一環としてね。教育の一環としてやってもいいのだけれど、就労ビザは与えて管理したほうがいい。留学生についても今はゼロにすると大変かもしれないけれど、管理してやったほうがいい。そしてゆくゆくは、将来は、学生で日本に来た人が働いてはダメにする。これが普通だよ。

上念　就労管理についてはデジタル政府が本格化しないと、煩雑な場合は人力では無理ですよね。

髙橋　人の管理はもっともデジタルに向いているからね。ところが、法務省はこの分野に疎いというか、トロいんだよ。

上念　法務省自体がものすごくアナログな役所じゃないですか。ついこの間まで一太郎じゃなきゃダメとか言っていたんですよ。

髙橋　裁判の手続きだって、いまだにオンラインでほとんどできないしな。

上念　今ではさすがにコロナでできるようになっているし、公判はウェブでやっています。

髙橋　でも、ちょっと遅くない？

上念　遅いですね。公判が入るのがやっぱり1ヵ月毎みたいになってしまいましたね。密を避けるとかいろいろと言っていますが、あんなのはほとんど互いに文章を読み合って終わりでしょう。そもそも法廷でやる必要があるのかという問題もあるんですけれど。

髙橋　それも一例なんだけれど、あともう一つ、法務省のオンラインが際立って弱いなと私が思うのは登記。よくわかるでしょう。実質上、登記のほとんどはオンラインでできるんだよ。ところが登記は、法務局にわざわざ行ってやらなければならない。オンラインで十分だろう。

上念　係員がいちいちプリンターで出してくるやつを待ってなきゃいけない。手数料ぼったくりですしね。

髙橋　企業登記も土地登記もそうだしね。人の管理とは戸籍なのだけれど、実は戸籍管理はオンラインに非常に向いているんだよ。そしてその管理の多くは法務省に委ねられているんですが、やっていることはすごくトロい。

上念　法務省はそこを非効率にしておかないと天下りの受け入れ先がなくなるって自覚しているのではないですか。

髙橋　あのね、そこまで考えてなくて、ただトロいということで終わるんだと思う（笑）。デジタル化が苦手なんだよ。たとえば弁護士にしたって、デジタル化をすごくしやすい分野なんだよね。だって、判例なんて検索してほとんど真似てやれば似たようなことができるだろう。でも、そういうことをやれない弁護士が結構多いじゃない。

上念　そうか。ＡＩ弁護士みたいなのが出てきたら最強かもしれないです。判例も全部正確に調べちゃうから。

髙橋　今だって判例のデータベースがあって、それを真似てやっているだけだよ。簡単だよね。

あと、私なんかずっと前から言っているんだけれど、法務局の土地登記があるだろう。あれはブロックチェーンで簡単にできるんだよ。上書きするっていう話だけだからね。ある土地について上書きしていくだけならブロックチェーンが一番簡単なんだよ。

私がこう言っても、当事者たちはポカーンっていう感じだけれどね。そうすると最終的にはやっぱり組織問題になるのかもしれない。組織問題があるから頭が働かないのか、もともと頭が働かない。どっちかだよ。

上念　じゃあ、「移民を受け入れて労働力を云々」の前に、それを管理するためにちゃんとデジタル化して、日本政府が力を持たないとダメと言うことですかね。移民に限らずですけれど。

髙橋　普通、入国管理なんて顔認証システムでパチリとやる世界でしょう（笑）。そんなのは中国だけでなく、どこでもできると思うよ。

20年遅れで発足したデジタル庁

上念 それでは次は地域間格差問題に移りましょうか。東京一極集中はどうなってしまうのでしょうか？　このままどんどん進んでいくのでしょうか？

髙橋 こういうのって好みだからね。ただデジタル化が進むと、少なくとも物理的に一極集中にはあまり意味がなくなるよ。デジタル化が進むと、どこでもなんでもできるでしょう。企業が都心にオフィスを持つ必要がどれだけあるのかってことだよ。

上念 そうですね。役所はどうなんですか？

髙橋 オンライン化が一番遅いからね。だから役所が一番ネックになるんじゃないの。役所は相変わらずオンライン化ができにくいから……。

上念 それについて経済団体がものすごくクレームをつけていて、役所に対応するコストが企業全体の費用の1割を超えているみたいなんですね。

髙橋 今回のコロナの補助金申請だって、実際に役所に出向かないとできないっていう話が結構多い。でも、あれはオンラインで充分じゃないの。オンラインにしていくと、一極集中がかなり変わってくる。そうすると、ひょっとしたら、おおかたが地方に住んで週末だけ東京に来るとか（笑）。

上念　デジタルで一つ思うのは税務調査ですね。こちらが申告してしばらく経ってから連絡がきて、「これは違いますよね」と指摘される。

高橋　税務署はプリントアウトして、後でじっくりとアラを探すという世界だよ。

上念　いや、私としてはその場でチェックして、「これは違うから、納める金額はこうです」と指摘してもらえば、間違えようがないじゃないですか。「その場で見て、もうオッケーしたやつで払うから」って言ってもダメなんですよ。

高橋　税務調査を行うときには電子データがフル活用されているんだよ。業種別にいろんな比率があるから、異常値をチェックをするのが簡単なんだ。個人の申告についてもできるしね。e-Taxをやっていると経年変化が大体わかるんだよ、正直言うと。経年変化を見てAIを使えば簡単にできると思うよ。

上念　会社の粉飾決算を見抜くにもそれが有効だということで、勝間和代さんが大学院で研究していたのもそれでした。

高橋　だから、税務調査はそういう意味では簡単だよ。要するにデータストックが重要だから、申告段階から電算化してもらうと、入力する手間が省けていいでしょう、というのがe-Taxのもともとなんだけどね。

それを大蔵省のときに一生懸命訴えたら上司から、「それはいい。是非システムを頑張ってつくってくれ」と言われたんだ。２０００年が最初だったけれど、各省の電算化の先駆けだよ。当時の国税庁長官から「いや、すごいいい話だ」と言われた私は真面目にシステムをこしらえたよ。それでそのときに思ったのは、「この電算システムは本人認証と資金の流れという二つからできている。資金の流れをひっくり返すと補助金を配るシステムに変えられる」と。

すぐにできると思った。だから、「これは補助金を配るシステムに変えられるから、ここに入れたプログラムを全部、他省庁かもしれないけれど、導入してもらえばいいんですよ」と進言したんだよ。でも、導入したところはなかった。もったいないよ。今頃つくったら大変な費用がかかるからね。e-Ｔａｘが多分一番歴史があるから、ある意味枯れているわけ。枯れてはいるんだけど、枯れているほうが楽は楽なんだよ。

上念　そうですよね、間違えなくていいんですよね。でも、役所のデジタル化が進まないとなると、一極集中を解消しようにも、結局役所に行かなきゃいけないから、東京にいなきゃいけないことになっちゃいます。

髙橋　実は今回のデジタル庁の発足は20年遅れでの実現なんだよ。20年前に竹中平蔵さんが「すべての申告書を原則デジタル化する」と音頭をとった。さすがに20年経ってもやらないのは格好が悪いからね。

上念　役所が少し動けば一極集中も多少は解消されるかもしれないですかね。今、郊外の不動産価格がちょっと上がり始めたりしています。

髙橋　さっき言ったように、オンラインだったら都心でなくても仕事ができて、週末だけ東京に行こうなんてありうるよ。

上念　なりますね。私の後輩で、不動産関係の仕事を起業したのがいて、彼の話だと最近の傾向的に「オンライン会議が増えたので、会議用にもう1部屋欲しい」と言う人が引っ越すケースが増えてきたそうです。

髙橋　郊外だったら1部屋増やすことはできるけれど、都心では難しいからな。そのうちに一極集中はかなり軽減するかもしれない。ただし時間によっては一極集中もあり得る感じもするけれどね。

上念　都心のワンルームが結構ガラガラらしいです。別にいらないですから。帰って寝るだけの部屋なんて。

ポストコロナのデジタル化は結構進みそうで、一回来るともう戻らないと思うんです。

髙橋　うん。だって楽だものな。大学なんかも昔は講義室でやるのが原則だった。

上念　もう2年もオンライン講義をやっているのに、もう今さら戻れないですよね。

髙橋 大学のほうから「教室で講義をやってください」と言ってくるんだけれど、「別にいいでしょう、オンラインでできるから」と返しておいた。すると、「学生が望んでいますので」と食い下がられたので、「対面講義を望んでいる学生は他のゼミで一緒にやりましょう」と言っているんだ。

でもオンラインのほうが楽な学生も結構いるだろうね。オンラインでやるとアーカイブが残るから、何回も何回も見られる。対面講義は1回しか受けられないからね。

上念 オンライン授業が主流になると、大学の入学定員に意味がなくなりませんか？

髙橋 もうなっているよ。なぜ入学定員があるかというと、それだけの教室が必要だという物理的な意味を強く持っているわけだからね。大学審査のときに入学定員と教室はリンクしている。大学定員の数、教育する教員の数もリンクしている。教室のスペースも全部リンクしている。でも今は大学の教室スペースはだいぶ空いているわけで、ちゃんと有効活用しないとこれから大変になるよね。

間に入る銀行、マスコミに受難の時代がやってきた

上念 次のお題は「もう銀行はいらない」というものですけれど、いかがでしょうか？

髙橋　これについて言うと、「資本主義の社会では間に入る人はなるべく少なくする」という〝原則〟がある。そもそも間に入る人がいるならば、需給がマッチした意味がなくなるからだよ。だから技術が進んでいくと、間に入る人がかなり減っていくわけ。
　これを最初に感じたのはウェブサイト上でＣ２ＣやＢ２Ｂなど、個々間での取引を可能にするグローバルマーケットプレイスの運営企業ｅＢａｙが登場してきたときだった。たしか１９９５年創業で、「これでかなり流通が変わるな」と思ったわけだよ。要は問屋みたいな存在を通さないビジネスモデルなんだ。直販のほうが技術的にも簡単だろうし。
「間に入っている」という意味で、実はマスコミと銀行はまったく同じ構造なんだね。デジタル化や先進技術が進むと、資本主義の流れとして間に入る人をパスする、中抜きする理論が浮上してくるわけだ。そのときターゲットになるのが銀行とマスコミであると、私はかなり前から言及していた。
上念　その通りになりましたね。銀行も今や全然動かないですね。
髙橋　だから今でも一番簡単なのは、クラウドファンディングみたいなことでしょう。当事者が直接クラウドファンディングをすると、商品のマーケティングもできてしまい、こんなにいいものはない。銀行マンに頭を下げるよりも、こっちのほうが簡単にお金を集められるからね。

申し訳ないけれど、これからの銀行は際立った技術革新をものにして両者から納得が得られない限り、間に入ることはまずないだろう。

上念 ただし、今はまだ、まとまったお金を貸してくれるのは銀行しかないんですよね。

髙橋 今はね。だからゼロにはならないかもしれないけれど。また、問屋も間に入って需給の調整をしたりする仕事くらいはあるだろう。でも、従来のように間に入っている人が大きな顔をすることはないという意味。昔みたいに絶対に不可欠ではない、そういう意味。

だからマスコミもそうなんだよ。私の役人時代にはマスコミさんが来て、私のしゃべることを逐一報道してくれていた。今では自分で書いて自分で発信するから、マスコミは要らない。

上念 こないだの「さざ波」騒動のときも髙橋先生が「インタビューには答えないからYouTubeを見て」と言って終わりでした。

髙橋 危機管理するのは当たり前だよ。実はYouTubeとか自分で媒体を持っていると、マスコミは意味がないんだよね。これも技術の発達のおかげだよ。昔は電波とか紙を独占しているマスコミしか伝える手段がなかったんだけれど、実際に技術が進んでくると、間に入っている人の意味がなくなってしまう。

それと銀行は似ている。間に入る人を「中抜き理論」というので結構、説明ができると思う。もちろん、その技術に対抗して付加価値をつける人は勝つよ。生きるよ。さっきの上念さんの話だと、大量の資金で一気にとかいう話になるときは、そこは勝てると思うよ。でも、徐々にクラウドファンディングなんかも付加価値をたくさん付けてきたよ。

上念　今でも金融商品取引法の制限があるとも聞いていますが……。

髙橋　最後は制限になってしまうけれど、でもそれはレギュレーションのやり方いかんでしょう。従来は、間に入る人を中心に業者規制を定めていた。業者規制をして、間に入る人を律して何とかやってきた。

でも直接取引をやったらどういう規制になるかというと、今度は行為規制になる。行為規制になると、してはいけないことが定められる。でも、業者規制と行為規制とは違うレベルなんだよね。「普通の人の行為として、これはダメ」。そんな規制になるというのが私の読みだよ。

上念　ああ、そうしたらみんなやり始めちゃいますよ。銀行になんか行かないでね。

第5章

少子・高齢化社会の真実

高齢化比率は、今後上がらない！

高橋　一口に高齢化と言っても、昔の高齢と今の高齢では元気度が格段に違う（笑）。上念さんも50歳を過ぎたよね。昔だったらもう完全にジジイですぞ。

上念　そうですよ。昔だったら死んでますよ。だって人生50年だったのですから。

高橋　私などは65歳だから、昔ならば超ジジイもいいところだ。けれども、今は65歳でも働いている人はいっぱいいる。逆にサラリーマン生活が終わって何もすることがない人のほうが可哀想だよね。

だから、高齢化がどうのこうのと言われるのだけれど、それはイメージが昔のままなだけで、ちょっと考えてみたら今の70歳は昔の50歳ぐらいな感じがしてならない。昔は60歳から70歳ぐらいで死んでいたから、50歳はジジイだったのだけれど、今は平均寿命が伸びているから働ける。

上念　確かに。グラビアアイドルにしたって、30歳を過ぎて40歳近い女性が現役でやっていますからね。

高橋　昔はそんな状況は考えられなかっただろう？　平均寿命が伸びたおかげで、どの

一般会計税収、歳出総額及び公債発行額の推移

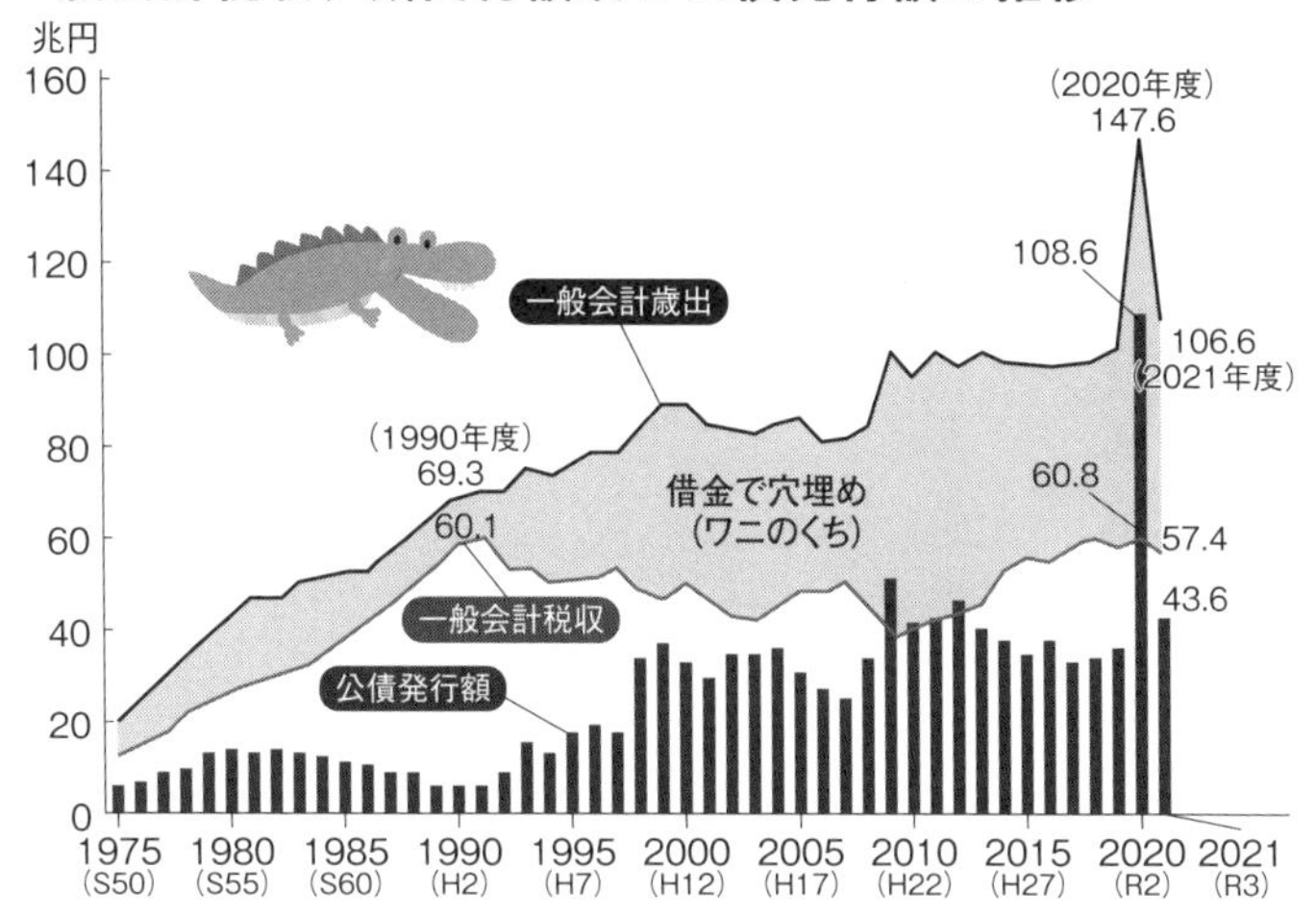

（※）2020年度では決算、2021年度は予算による。
〔注記〕一般会計は政府のバランスシートの一部であって、全部ではありません。

仕事においても、現役でいられる年齢が玉突きのようにどんどん上に上がっていると思えばいいだけではないのかな？

上念　ジャニーズのアイドルだって、30歳を過ぎてもアイドルを張っている人がいっぱいいます。40歳くらいでもいる。昔なら考えられないでしょう。「なんだジジイじゃん」って言われて笑いものにされていた。そう、あのキムタクがもう48歳で、結構いい年なんです。

高橋　キムタクあたりがまだ（主役を）張れるというのは、エイジングがなくなっている世界だからではないのかね。だから、私の年齢は65歳なのだけれど、たぶん15ぐらい引いて50歳ですと言ったって不自然ではない。

上念　でも、みんな高齢化が怖い怖いと言って、「ワニの口が大きく開いて、医療費増大が半端ではない」とか言っています。

髙橋　高齢化ほど怖くないものはないよ。だって予測ができて、突然、急には起こらない話でしょう。これは対応が際立って簡単です。

人口減少危機論のウソ

上念　それに関連して言うと、先に紹介しましたが、「日本は人口減少でデフレになる」とか主張していたのが藻谷浩介氏でした。

髙橋　外れてしまったね。いかにああいうデタラメの話が多いかという典型みたいなものだよ。最近彼はどうしているのかな？

上念　最近は里山資本主義とか訳のわからないことを言って、木質バイオマス発電をやると地方が活性化するという珍説を述べています。「地域エコノミスト」というこれまた訳のわからない肩書でもって講演で多忙のようです。特に地方自治体には大人気で引っ張りだこらしい（笑）。そうそう。元日本政策投資銀行の地域企画部特任顧問だった方です。あの減資して中小企業になった毎日新聞絡みで生きていると言う人もいます。

ちなみに『デフレの正体』（角川新書）という本を藻谷氏が出したとき、浜田宏一先生が「人口減少は普通、インフレの原因になるはずなんだけど」とおっしゃっていました。これは働く人が減ってモノがつくれない。でも消費は続くのでモノが足りなくなるのが普通という意味です。戦争が終わった後は人口減ってますけど普通インフレになるわけですから。

髙橋　現実に人口減少しながらも経済成長している国はなんぼでもあるからね。

上念　ええ。以前に私は髙橋先生に同じことを聞いたとき、「必ずしもそうではない」と言われた気がします。

髙橋　はっきり言って、人口はほとんど何も関係ないと思う。よく考えてみればいい。人口減少するでしょう。そうすると生産量を補うために機械化投資が増えるから、却って、労働生産性が上がってしまうわけだよ。

だから人口が減っても、結構労働生産性を上げることができるから、価格的にはニュートラルに収まってしまう。大体こういう類いの問題についてはデータで見るしかない。するとね、人口減少と価格を見ても、相関関数はほぼゼロになっている。キレイなほど関係ないという感じがするよ（笑）。

上念　髙橋先生、確か以前にそういうグラフを出されていて、東ヨーロッパの国の人口が急減しているのだけれど、逆にとんでもないインフレになっていると指摘されていましたね（笑）。

髙橋　国によって事情が違うわけ。でも全体で見ると、人口増減と経済成長は関係ないという結論に落ち着くんだ。たしか、藻谷氏本人も、あの本の記述は間違いだと認めていたはずだ。私は藻谷氏よりも、彼の本を強く推薦したタレントの池上彰や緊縮財政論者だった白川日銀総裁が誤った情報を拡散し、よりデフレを〝深刻化〟させた罪のほうが重いと考えている。

上念　ただ藻谷氏自身も、「人口が減少するから、少子高齢化が進み、日本経済は衰退して、終わる」みたいな話をずっとしていて、マスコミは結構洗脳に近いような状態に陥っていました。

髙橋　人口の増減率と一人当たりのＧＤＰの伸長率を見ると、まったくの無相関だった。私などはそういうデータでしか見ていない。だから、データで見ないで訓を垂れる人がいかに多いかということでしょう。

世界の人口増減率と1人当たりGDP成長率

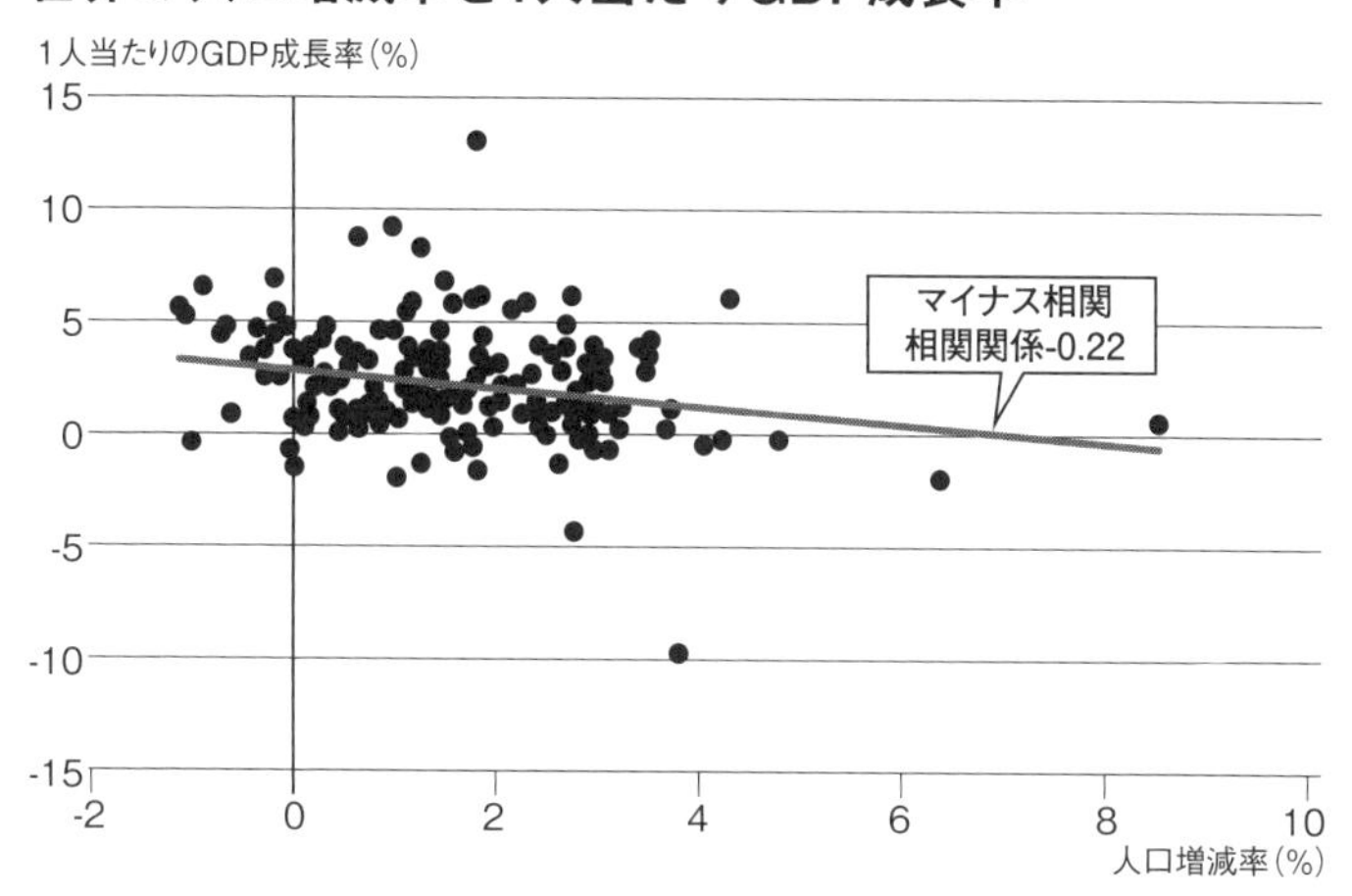

高橋が作成

先進国の人口増減率と1人当たりGDP成長率

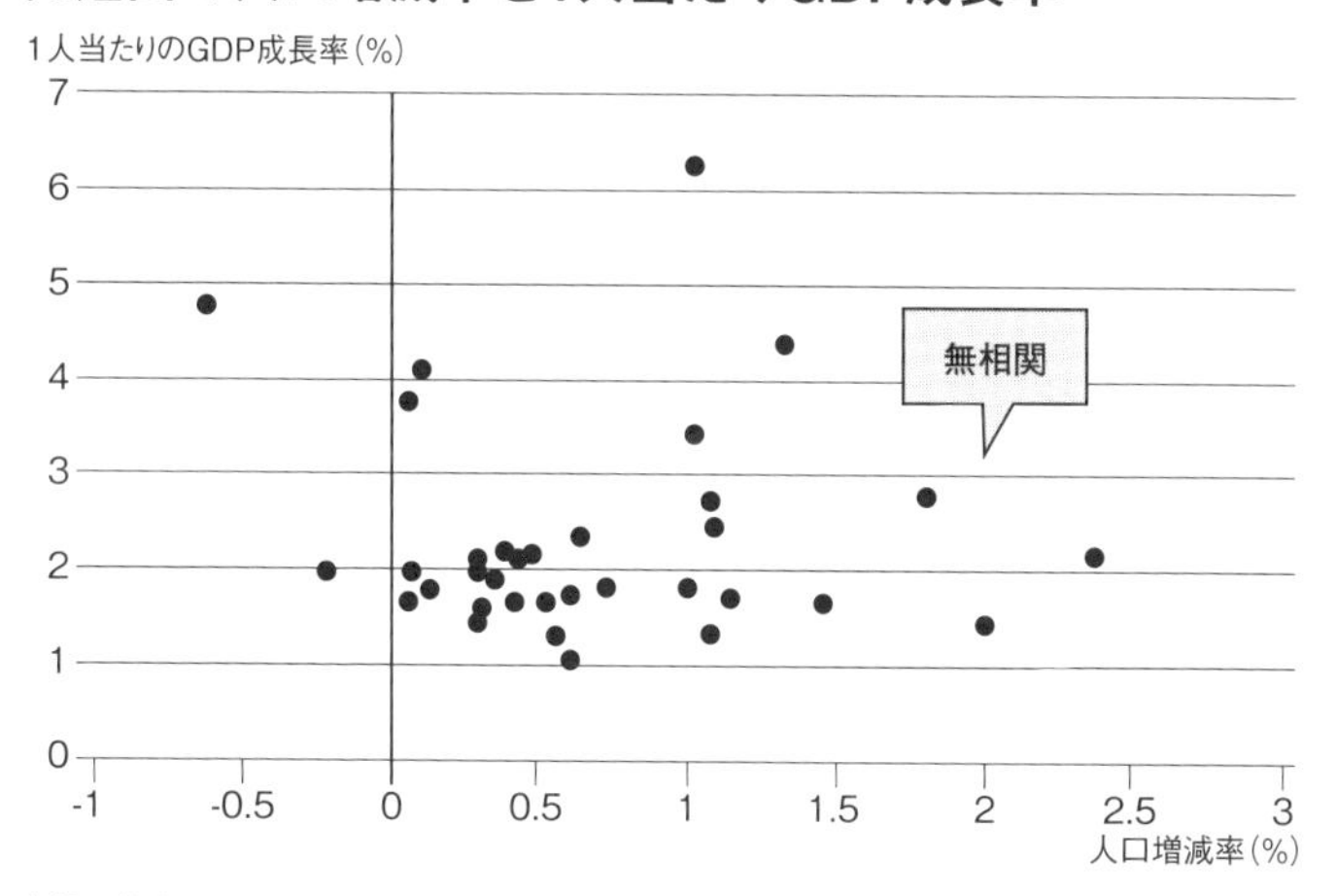

高橋が作成

中国が一人当たりGDP1万ドルを長期的に超えられない理由

上念　たしかに人口と経済は相関しない。でも、相関しないものを、なにか関係があるように信じる人がいます。

たとえば、かつても人口ボーナス（生産年齢人口　15歳〜64歳の人口）が人口オーナス（従属人口　14歳以下と65歳以上を合わせた人口）に転換するときには、経済成長が止まると流布されていました。だから社会保障が危ないと。

高橋　個別の国の現象においてはあり得ると思うけれど、世界的に普遍なものでは決してない。先の人口増加率と一人当たりのGDPと同じで、ほぼ一貫して無相関だよ（笑）。

上念　ちなみにその関連で言うと、これからものすごい少子高齢化を迎える中国はどうなるのでしょうか？

高橋　まあ、あまり関係ないと思うよ。また「中国は少子高齢化したら衰退する」と言いたい人もいるかもしれない。けれども、それも先刻の人口減少と同じような話で、ロジックとしては違うと思う。

上念　むしろそれよりも、経済の自由化を進められるかどうかのほうが、重要と考えるべきでしょうか？

高橋 これについては、私は民主主義度と一人当たりのGDPに関するきちんとした論文を残している。結論から言うと、民主主義度がある一定以下の国は、一人当たりのGDPは実は1万ドルをまず超えないわけ。

民主主義度が高くなると、そこからは民主主義度と一人当たりのGDPは正比例の関係になる。したがって、中国はまず一人当たりのGDPが1万ドルを長期的に超えることはないわけだ。一時的には超えることはあっても。だから経済発展しなくなる。

上念 ここでの分水嶺は〝民主度〟になる。民主度をきちんと上げれば、少子高齢化を乗り切れるということですね。

高橋 乗り切るために、ある程度、市場主義経済を取り入れなければいけなくなるから、そことの関係なのだけれどね。けれども一方で、民主度をきちんと上げないと、いくら市場主義経済を推進しても、本当の市場経済は築けないんだよ。

上念 でも、そこで本当の市場経済を敷いてしまえば、中国共産党が持っている利権がなくなってしまいます。

高橋 そうだよ。「民主度の高い市場経済」と「中国共産党主導の市場経済」は、当然ながら裏腹の関係だから。

上念　つまり、中国共産党が居座り続ける限り、中国は発展できないということですか？

髙橋　うん。そうすると、先に述べたような共産主義のストーリーと、このうえなくマッチングするわけだ。

上念　確かにそうですね。それで、少子高齢化になっていくなかで、中国共産党は「経済発展できないのは少子高齢化のせいで、われわれのせいではない」という言い訳をするのですかね。昔の日銀みたいに。

髙橋　知らないけれど（笑）。今私が言っていることは、すべてデータで説明できることだから、あまり人口について考えても埒が明かない。どうして考えても仕方のないことをみんな考えたいのかな。

上念　いや、地方自治体の首長に聞くと、「少子高齢化をなんとか抑えて」と判で押したように問題視しています。

髙橋　それは首長からすると、少子高齢化になると近隣と合併しなければならなくなるからだよ。自治体はそれが嫌なだけだと思う。

上念　懐事情というか、保身ですね。そうですよね。合併したら片方は首長ではなくなるのだから。それは結構ムチャクチャな理論で、「子供を産む女性が域外に出てしまうと人口が減るから、女性をなんとかつなぎとめろ！」みたいな暴論がまかり通っている。これは藻谷氏の仲間で『地方消滅』の増田寛也氏が言っていたのですがね。

高橋 そういう個人の人権に触れるみたいな話はしないほうがいい（笑）。住居の自由や子供を産めとか個人の基本的な人権にふれないのが先進国だよ。それでは共産主義国だよ。

上念 ですよねえ。そうした流れのなかで、地方は病院のベッドが余っているから都会の老人を田舎に連れて行けって、これまた増田氏が語っていたんですよね。これも同じですね。強制収容所じゃないんだから。これではカンボジアで大量虐殺をしたポル・ポトとどこが違うのだという話になってしまいます（笑）。

高橋 田舎がいいって勝手に行くのはいいと思う。個人の自由だから。それを政策でやるというのはよくわからない。

世界の人口は際限なくは膨らまない

上念 次は「世界の人口は際限なく膨らむのか」というお題です。

高橋 膨らまないよ（笑）。欧州なんか縮んできているでしょう。途上国は増えるかもしれないけれど、際限なくはないよね。どこかでやっぱり逆の方向に働く。

上念 今現在も世界的な傾向ですよね、少子高齢化は。

髙橋 先進国は間違いない。だから、生活水準がある程度高くなったら、どこの国も人口膨張は止まってしまうだろう。

上念 なるほど中国もそうですし、漢民族系の国は特に激しいと言われていますよね、少子高齢化。

髙橋 うーん、ちょっと民族で差があるかどうかは不明だけれど、一般的には生活水準に非常に関係があるのではないかな。

上念 逆に言うと、人口爆発が起こっているような国って、アフリカのごく一部のみですよね。

髙橋 だからそこは生活水準が上がらず、することがないから、こういうことになっちゃった(笑)。人間だから、することは決まっているからね(笑)。

上念 じゃあG7の発展途上国援助の枠組みで、アフリカにきちんと援助が届くようになったら、アフリカの人口爆発は止みますか?

髙橋 生活水準が上がっていけばね。これまでは中国がアフリカへの援助を主導してきたけれど、今度、西側先進国から中国とは違う援助が出るでしょう。金儲け的にどちらが面白いかといえば、西側先進国のほうだろうから、そこで目覚めたらちょっと違う展開になるんじゃないのかな?

上念　そういうことですね。アフリカにおいても際限なく人口が増えることはないと。まあ、株にしたってちょっと複雑なオプションみたいな商品をやっていたら、リニアにはいかないですよね。ある程度のところまで行ったら伸びが鈍化して、フラットな曲線になっていくのは、マーケットの世界にいれば感覚的にわかると思うのですけれどね。でも、皆さんはあまりそういうふうには考えられないみたいです。

髙橋　コロナに対してもすぐに指数関数的に増えるって言うでしょう。そうであればあっという間に日本国民全員がすぐに罹っちゃうよ(笑)。指数関数でなくこうやって曲がる飽和曲線。

上念　テレビの普及率とか、そういうものの曲線ですよね。

ちなみに新型コロナウイルスについて、厚生労働省のクラスター対策班に参加した北海道大学(当時)の西浦博教授(理論疫学)は不要不急の外出自粛などの行動制限をまったくとらなかった場合、流行収束までに国内で約42万人が感染によって死亡するとの見方を示していました。この人はずっと予言を外してばかりで、髙橋先生のほうがよく当たるって言われているみたいですけれど。

髙橋　もういまさら、彼の数理モデルを誰も信用しないし使っていない。ただ、マスコミだけは聞いてきたから、まだ喋っているのだと思う。

上念　なるほどね。すみません、またコロナの話になってしまいました。次のテーマは、食糧不足は起こるのかというものです。

髙橋　人口が増えたらそうなるよね。一方でマルサスの理論で行くと、人口があまり増えないから、それもあまり起こりにくいよね。

上念　ちなみに髙橋先生、先に述べたようにマルサスの予測が外れた最大の理由というのは、マルサスの想定していた以上に農業生産が上がったことでした。

髙橋　農業生産技術や肥料の進歩などがあって、それが読めなかったっていうことでしょう。それを抜きにすれば、原理としてはそれほど間違っていないと思うけれどね。

上念　ただ、農業生産力がこれだけ高まっていて、しかも、人口がすでにピークになりそうで、これから減っていくかもしれないという状況だとすると、食糧危機は起こりようがないですね。

髙橋　あまり起こりにくくなるよね、おそらくは。

上念　でも、もし大きな気候変動とかがあったら食糧不足もあり得ますね。

髙橋　ああ、それはあると思うね。でも大きな気候変動があったときには、人も死ぬんだけどなあ（笑）。
上念 言えてますね。人が死ぬと人口が減る。だから食料不足にはならないと（笑）。
髙橋 案外ね。

非常に辻褄の合う年金制度の仕組み

上念 話はガラリと変わりますが、公的年金が破綻すると思っている人がけっこういるのを髙橋先生はご存知でしょうか？
髙橋 公的年金が容易に破綻しないというのは、人口の減少率から予想できるからで、言ってみればその裏側にあたるものなんだけれどね。公的年金の破綻というロジックとは、「払う人が減って、配る人がたくさんになる」というものでしょう。
それについては昔から予測できていて、結果的には「マクロスライド制」を2004年に導入している。これを大摑みに言うと、年金を払う額のほうを調整しているから破綻しないわけ。私はそれを導入した側の人間なんだけれどね。
上念 マクロ経済学スライドって、一時停止していましたよね。
髙橋 ああいうのは停止しては駄目なんだ。普通にやればいい。安倍政権でやりだした

年金の単純な保険原理

・20〜70才　50年間払う
所得×保険料率×年数
　＝所得×0.2×50＝所得×10

・70〜90才　20年間受け取る
所得×所得代替率×年数
　＝所得×0.5×20＝所得×10

・保険料率と所得代替率は密接な関係あり

のだけれど、マクロスライドはやっておいたほうが安全だしね。年金制度はけっこう簡単なものでいいと思うよ。そもそも一番原始的には、「20歳から60歳まで40年間保険料を払って、60歳から80歳まで20年間年金をもらう」というのが基本なんだよ。

実はこれは掛け金と後でもらう金額が全部算式で出てきており、それをうまくやっているだけなので、破綻のしようがない。それは今言った、40年間にわたり自分の所得の2割程度を払うという制度だから。それで残りの20年間、これは長生きするかしないかはいろいろあるけれど、平均的には20年間だから、その間に自分の所得の4割をもらうとする、非常に辻褄の合う制度といえる。

上念　年金をもらい始めるときには半分は亡くなっているので、だいたいそれが均衡するっていうことですか。

髙橋 いや、もらい始めるときに半分は亡くなっているということは、80歳までには、年金を給付される人の半分が亡くなっているという意味だよ。

ただし今の制度だとちょっと違ってきている。20歳から70歳までの50年間で給料の約2割を年金保険料として支払う。トータルで給料（所得）の約10倍を支払うことになる（50年×0・2）。70歳から95歳までの25年間で給料の4割を年金として受給する。

そんな感じなんだな。でもこうやって簡単な算式で言えるような話で、年金が破綻すると主張する人とは、こうした簡単な算式も理解できない人たちなんだよね。

上念 なるほど。調整をしないいままずっと行くと考えている。たとえば、年金破綻をよく言っている法政大学の小黒一正氏なんかですかね（笑）。

髙橋 彼は算数ができないだろうね。彼は何回言ったか忘れたぐらい「年金は破綻する」と言って、ずっと今まで外し続けているよね。

上念 小黒氏の破綻するというロジックにある模式図によると、今の積立金と将来の保険料が不均衡であることをその元凶にしています。でも、これは間違いです。「将来の給付と今のプール金が均衡するのではなくて、将来の保険料と将来の給付が均衡するように設計するのだから、この図は完全に間違っている」と明治大学の飯田泰之氏にも指摘されていたんですが、まあ要はそういうことですかね。

髙橋　小黒氏の間違いを見つけるのはつまんないね、私には。年金の収支について正しく言えば、将来の給付に対応するのは、今の積立金、国庫負担、それと将来保険料。数字でいうと、将来給付の現在価値は２４００兆円、それに対応する今の積立金２１０兆円、国庫負担５２０兆円、将来保険料１６７０兆円。ピタッと合うでしょ。

こんな話は、マクロ経済スライドを検討した２０００年のはじめの頃に数字で示している。今の若い人は過去にやった話をまったく検討しないくせに意見をいい、不勉強をさらしている。前に、政府のバランスシートをはじめて私が作ったと言ったでしょ。政府のバランスシートをきちんと作るためには、この程度の年金の収支もわからないと作れないいんだよ。実際、２００５年に公表した政府バランスシートの文書では、この年金収支の話が書かれている。

上念　（笑）でも、ああいう人が言いまくっているわけですよ。「保険破綻が来る」って。

髙橋　だいたいこの手の話って「破綻する」って言った人の過去の本を出しきて、「あなたはこういうことを以前に語られていましたね。いかがですか」で終わるんだよ（笑）。「破綻する、する」っていうのもこれだけ繰り返して言うと、さすがにオオカミ少年みたくなってるんじゃないの？

なぜ年金を消費税で賄ってはいけないのか？

上念　そうですね。藤巻健史氏もオオカミおじさんって自分で言っているぐらいですからね。でも髙橋先生は、「年金を消費税で賄うっていうのはダメだ」とずっとおっしゃっていますよね。

髙橋　うん。だって一度も破綻しないのに、「なんでかなあ」で終わってしまうじゃない。だいたい藤巻さんにしても小黒氏にしても、1回ぐらい当たれよって思うくらいに外れるよね。

上念　もう一人、小幡績氏もずっと外し続けていますしね（笑）。

とりあえず先生、「年金を消費税で賄うというのはデタラメ」ということをもう少しお聞きしたいのですが。

髙橋　以前私がお聞きしたのは、消費税とは広くさまざまな人から取るもの。だから、それを使うほうの人は、誰からもらったかわからないお金を使うことになる。一方で保険ならば自分が払ったものを、将来自分がもらうみたいな感じですよね。実際には違いますが、そういう意識があるので、負債の規律みたいなものが効く。

けれども、消費税のように、誰からもらったのかわからないお金をただ使うだけ、という規律が効かなくなって、「逆にこれで破綻が近くなるよ」みたいなことを先生はおっしゃっていました。

髙橋　保険料とは誰が払ったか〝わかる〟から保険料なんでしょう。すると、年金という名の保険なのに保険料ではなくしたらまず危ないよ。

年金と保険とはまったく同じ原理なんだよね。これを知らない人が結構多いのだけれど、「年金保険法」というくらいで、保険の原理で運用がなされている。それは法律を見ればよくわかる。

たとえばサラリーマンが加入している厚生年金は、「厚生年金保険法」という法律に基づいていて、法律名のなかにも「保険」と書かれているように、あくまでも「保険」。国民年金の場合は「国民年金法」という名前の法律で、法律名に「保険」という言葉は付いていないものの、法律の文面を読むと「被保険者」「保険料」という言葉が謳ってあり、やはり保険であることがわかる。

保険というのは保険料で成り立つシステムにほかならないわけ。したがって、税金とはまったく〝無関係〟なんだよ。この重要な点を押さえておかないと、財務省の「年金などの社会保障費が逼迫しているから消費増税が必要」というまやかしのロジックに騙されてしまう。

また、保険料は記録が残るので、「給付と負担の関係が明確」になる。保険料を多く支払った人は給付が多くなり、保険料をあまり支払っていない人は、給付が少ない。じつにシンプルな仕組みなんだよね。

必ず保管しておくべき領収書代わりの「ねんきん定期便」

上念 じゃあ、髙橋先生が一生懸命に仕組みをこしらえたものの一つである、「ねんきん定期便」は大切なのですね。要は積み立てたお金がいくらなのかがわかっていないといけない。
髙橋 実は年金というのが制度上、自分が払うのではなくて、サラリーマンだと企業が払うでしょう。定期便はそれをサラリーマンに返すわけ。だからはっきり言うと、あれは企業が払った領収書代わり。そのためにつくったんだ。要するに、企業がきちんと払ったかどうかが、よくわからないから。
上念 そうですね、昔、払いましたよと嘘をついて、実は払っていなかった企業が多くありました。

髙橋　そうそう。それがすごく多かった。そして私がさまざまな国の年金制度を調査した時、多くの国の関係者から、領収書を出すというやり方があると聞いた。それで「ねんきん定期便」を、そうしたスタイルで行うことにしたわけだ。だからあれは企業側からちゃんと支払われている（負担している）かどうかを、チェックできるようになっているわけだよ。

上念　なるほど、かけた本人が。

髙橋　うん。それでいちばんひどいパターンは、企業が年金分を本人のサラリーから天引きするんだけれど、それを、国や基金に払っていなかったという例が結構多かったことだった。これはまずいなと思って、領収書を会社には出してはダメ、必ず個人に出せ、という形にした。

上念　ああ、そうか。まさに髙橋先生は「消えた年金問題」のときに渦中にいたわけですからね。第一次安倍政権時に。

髙橋　消えた年金問題の話として一番多かったのは、サラリーマンが年金分を取られているんだけれど、60歳を過ぎて年金をもらいに行ったときに、「ありません」と言われたことだった。

上念　社会保険庁がろくにチェックしてなかったということですね。

髙橋 ろくにチェックしないのと、仕組みとしてサラリーマンのほうに直接情報が行くというものがなかった。だから、毎年領収書としてサラリーマンのほうに送るように、私は変えたわけ。そのときにいくら払ったとか、いくらもらえるという数字をついでに書けとね。それだけの話。

上念 ちなみに、消えた年金問題というのは最終的にどういう風に着地したのでしょうか？ みんな結構忘れてしまったと思うけれど。

髙橋 すべてを調べようがない。無理だよ（笑）。

上念 わかんなかったんですね。結局。そうですよね。給与明細を全部キープしていなければ、結局は泣き寝入りになっちゃったんですか？

髙橋 ああ、結構そうだったかもしれない。個別には全部はわからないよね。ねんきん定期便は一応役所が出しているものだから、領収書代わりに取っておいたほうがいいんだ。領収書を持っていたら、少なくとも自分は払っていた証明ができるわけだからね。

上念 やばい、私はぜんぜん取っていません……あれは一応積み立てたときの残高も出ているので、少なくとも最新のものだけでも、ちゃんと保存しておいたほうがいいですね。

髙橋 そうだよ。あれを出すようになったから、実は役所のほうのコンピュータのなかにはあるはずだと、年金分を天引きされてきた人は言えるんだけどね。ああいうのを出さないと、実質的な被保険者である年金受給者と国の間で、何か齟齬が生じた際に被保険者はああしたレターがないと、連絡すらできなくなるんだよね。

上念　そうですね。じゃあ、ここでのオチは「ねんきん定期便を捨てている人の驚くほど危険な生活」といったところでしょうか。でも、紙で来るのを保管しておくのが、面倒なのですが。

髙橋　あれをデータとしてどっかで保存するという手は、これからのデジタルの世界ではあると思うけれどね。とりあえずには、紙で保存するか、コピーをとってデジタルで保存したほうがいい。

上念　マイナンバーでマイページみたいなところにあるとか……。

髙橋　ちょっと違うけれど、データの保存という点で言うと、お薬手帳はアプリで全部できるはずだよ。薬剤師の協会のほうにデータベースがあって、そこで全部やっているはず。サーバのほうにアクセスすると、データがそっちに全部届くシステムになっている。私もお薬手帳は持っていない。全部アプリで済ませている。

上念　ねんきん定期便もアプリにならないですかね。

髙橋　デジタル庁が開設されて、デジタル化がどんどん進んだら、アプリで処理できるようになるんじゃない。あんなの、アプリでやるのは、もう簡単だからね。

上念 ええ、それで紙を出さなくて済むようになると、経費も手間も節約できる。

髙橋 今はだから、日本郵便を儲けさせているだけなんだけれどさ（笑）。

上念 さらに言うと、これは私のＹｏｕＴｕｂｅのネタだったのですが、ＮＨＫは宛名を書かずに住所だけで送れる日本郵便の新たな郵便サービス「特別あて所配達郵便」を２０２１年7月から、受信料徴収業務に導入することを明らかにしています。

結局、これを使うのはＮＨＫによる受信料の督促状です。一通あたりのサービスは、通常の送料84円＋２００円の手数料合計２８４円。個人の名前がわからなくても、住所番地さえ存在すれば、そちらに必ず勝手に届くというものです。ＮＨＫ側は受信料未払い裁判の際に送付した証拠が示せるという寸法です。

実際にそれが自宅に投函されて、いきなり請求書で受信料を払えと、もらった人がびっくりするみたいな事案が増えているらしいのですね。集金人が乱暴な振る舞いをしていることが問題になったので、ちょっとマイルドにしようと、日本郵政グループがＮＨＫのためにその制度を考えたらしいですよ。郵便サービスが赤字なんでグループ内で売上を回しているわけです。

持たざる者は買ってはいけない不動産

上念　次に行きます。人口減少社会において不動産は買うのか借りるか、どちらが正解なのか？　髙橋先生、いかがでしょうか？

髙橋　普通借りるんじゃないの。

上念　やっぱり、そうですよね。いわく、「マイホームを買う人の驚くほど危険な生活」ですか。私も基本的には借りる派です。

髙橋　所有していることの価格変動リスクを考えれば、利用価値のみだったら借りるんじゃないの。ずっと昔から不動産を持っている人は別だけどね。だから私は、ずっと昔から持っている土地に住んでいるのだけれど、どこか地方から出てきていた立場だったら、東京に不動産は買わないと思う。

上念　そうですよね。もともと持っている人は、たしかにそれでいいと思うんです。

髙橋　もともと持っている人は仕方がないよ、だって、先祖代々からあるものだからね。でも、わざわざ新たに買うことはないよ。リスクを抱えて借入金か何かで買ったら、不動産なんてこれから下がるかもしれないし、これからのテレワーク時代には東京の不動産価格は上がらないかもしれない。

上念　それでもよく俗論的に「家賃よりもローンの支払い金額のほうが安い。持ち家にしたほうがいい」という輩がいるでしょう。でも、売買手数料とか金利とか固定資産税なんかを加味したら、トータルではどっこいどっこいですよね。

髙橋　マンションを保有していたら、管理費や修繕積立金を結構取られるから、ローン以外にも毎月さらにお金がかかるのでは。

上念　私が重要に思うのは、いざというときに引っ越しができるかできないか、という問題ですね。家を買ってしまうと、そこが売れるまで動けないし……。

髙橋　レンタルだと、引っ越しはすごく簡単だよね。上念さんが海外に住んでいたとき、家具付きって結構あったでしょう？　海外では家具付きの家を借りるのがいちばん楽だよね。だから家具付きの家みたいなのが、これから日本でも増えていくんじゃないのかな。

上念　そうそう7月後半だったか、野村不動産と清水建設が開発した武蔵小金井のマンションが手抜き工事だったというのが『フライデー』にバーンと出て、野村不動産の株価が1日で5％も下がりました。

武蔵小金井のマンションなのに、いちばん高い4LDKが1億8000万円もするという、驚くべき価格設定でしたね。

髙橋　買わなきゃいいんだよ。1億8000万円だったら数十万円で借りられるんじゃないの。

上念　そうですね。4LDKの家を借りるのに築10年とかだったら、もっと安いところはいっぱいありますから。

髙橋　家なんかは借りて経費で落としたほうがやっぱりいいんじゃないの。

上念　そうですね、会社をやっている方だったら、社宅扱いであればある程度経費で落ちますからね。

髙橋　私には家を買おうっていう気持ちがわからない。正直を言うとね。はっきり言えば。私の場合は相続で来ちゃったんだから、そこは使うよって感じだよね。

上念　お家を相続できた方はラッキーですよね。でも、持たざる者は不動産を買ってはいけない。これもだから煽りなんですよね。まあ、〝昭和〟の価値観なんだと思うのですが、家一軒持って一人前、みたいなね。

ただ、今こんな風に不動産なんか絶対に買っちゃダメだと言っている私ですけれど、若い頃に1回家を買って売って、大損しましたから。29歳ころでした。

髙橋　土地があって建物をローンで建てるのは、理屈上、所有地の上を借家にするわけだから、結構面倒（笑）。でも、もし土地がなければ、私は借地権・借家で充分だと思うね。

上念　そうですね。今、建物はそんなに高くないですからね、ぶっちゃけ言うと。土地がいちばん高いんですよね。

髙橋　土地をわざわざ買うことはないと思うんだけどね。だいたい東京のなかで知らない変な土地を、たとえば水浸しになるようなところを買ってしまう人がいるけれど、私になどは信じられないね。外から来ている人だから知らないんだよ。おそらくは。ずっと長く住んでいると、だいたいは知っているじゃない。ここは水が出るんだけどなあ、みたいな。

上念　（笑）確かに。常習地帯みたいなところはありますからね。じゃあ、髙橋先生も家を買わないでいい派ですね。良かったです。

髙橋　うん。そのほうが合理的で簡単でしょうと言っているわけ。

バランスシートを読めない財務省官僚の実態

上念　そうですね。私も賛成です。この章で最後にお伺いしたいテーマは、「日本が財政破綻すると思っている人の驚くほど危険な生活」になります。

髙橋　そういう人が滅法多く財務省にもいたから、彼らを説得するために政府のバランスシートをつくったわけだね。そうしたら驚くなかれ、財務省の連中も法学部出身者が大半だからバランスシートの読み方を知らなくて、ポカンとしていた。今でも知らない連中が結構いるんだけどね。政府のバランスシートを見れば悠々としているから大丈夫でしょうと、私は言ったんだけどね。

上念　政府のバランスシートについてはいろいろとケチをつける人が多くて、資産に計上されているものは実は現金化できないんだ、みたいな低レベルな批判をしてきます。

髙橋　その資産そのものを現金化できなくたって、それを担保にして資金調達をできればいいんだろう?

上念　その通りなんですよ(笑)。批判してくる人たちは頭が悪くてね。彼らは2秒後に現金化できないものは資産価値がないみたいな、ムチャクチャなロジックをかざしてくるわけです。トヨタのプリウスの工場でも2秒間では現金化できないけれど、じゃああれは粉飾決算かという話ですよね。

髙橋　そんなのは会計の無知だよ。どうしようもないね。

上念　名前を出して恐縮ですけれど、大前研一氏みたいな有名なコンサルタントをやっていた人がそんなことを言うんですよ。公会計の知識がちょっとないのかなと思っちゃいますね。

高橋 恥を晒しているだけじゃないのか。ある一定の分野では専門家かもしれないけれどね。だから彼のところにコンサルを受けるのがどれくらい危ないか、ということになっちゃう。

私などは公会計をやって、公認会計士協会にもきちんとお伺いを立てて、何年も何年もチェックしてもらっていた。それを世界の基準にも合わせたりしてやってきた。みんなどこの国も同じようにバランスシートをつくっているわけだよ。これに対して日本だけが変なことをしたら、カッコ悪くなるでしょう。

上念 うーん、その通りですね。私は毎年見ているのですが、政府のバランスシートの発表って毎年10月でしょう。ちょっと時期が遅すぎやしませんか。あれはわざとやっているのですか？

高橋 それはわざとなのか、本当にトロいのかよくわかんないよ（笑）。

上念 私自身は貸借対照表が出ると、「なんだ、絶対に国家破綻なんかしねえじゃん」って簡単に理解できる。いざとなれば、担保を取っていくらでも資金調達できると。すぐにバレちゃうから、悠長にやってるのかなと思っていたんですけれど。

高橋 ということは、上念さんは財務省を好意的に見ているんだ。私なんかはどちらかというと、ただトロいだけなんじゃないかな、と思っている（笑）。

上念さんの言い方は、能力はあるんだけど意図的にやっていて、すごい悪意を抱えている悪人っていう前提だよね。私なんかは、悪人じゃなくてただトロいだけだとね。どちらが本当なのかかな（笑）。

正直言って。私なんかがバランスシートをつくったときには、すぐにできたからね。ただ国の制度として、出納税期間というのがあって、5月末までのものは前年度の会計年度から入ってきてしまう。それから「えっちらおっちら」作業をすると、7月末ぐらいになってしまう。それが能力がないのと、悪意があるのと、どっちだかわからない。

上念　悪意もあって、しかも能力もないんだったら最悪ですね。

京都市の財政再生団体問題に見る総務省のオソマツ

髙橋　国や官僚がバランスシートが読めないと同時に、バランスシート感覚を持ち合わせていないのは、京都市が「財政再生団体」になるかもしれないという話でも露骨に出ている。

京都市は、2028年度にも「財政再生団体」になる恐れがあるとして、5年間で計約1600億円の収支改善に取り組む行財政改革案を公表しているんだね。仮に京都市が財政再生団体になると市民サービスの大幅な低下は避けられず、国民健康保険料は3割、保育料は4割の値上げになると、京都市は想定しているようだ。

管轄する総務省の決めた「財政再生団体」とは、一定の赤字団体であるんだが、本来的には財政的にみてバランスシート（貸借対照表）が債務超過になるのが破綻といえるんだよね。

果たして京都市の財政は破綻する可能性があるのか。これはファイナンス論の基本の基本なのだけれど、一般企業であれば、資産が負債を上回っていれば、破綻ではない。これは公会計にも適用できる。地方自治体の場合、徴税権が簿外にあると考えると、資産が負債を上回っていなくても、少しぐらいであれば破綻認定されない。一方で、資産が負債を上回っていれば、企業と同様に破綻ではないといえる。

そんな観点から京都市のバランスシート（連結ベース、2020年3月末）を見ると、資産は約4兆8000億円、負債は約2兆8000億円、純資産は約2兆円で資産比約42％だ。他の主な政令市の横浜市、大阪市、名古屋市、札幌市、福岡市、川崎市、神戸市は、いずれも資産超過で資産比40～76％であり、京都市はそれらと遜色ない、超優良地方自治体だったわけ。

上念　おお、なるほどね。京都市の純資産比率42％ってすごいですね。他の政令市もすごいわ。

高橋　純資産比率がここまで高いと驚くよね。普通、民間企業ではあり得ない世界だからね。これを総務省は破綻するとかしないとか議論しているわけで、私などは「ちょっとどうかしているんではないか」と言うしかないよね。

ちなみに、それらの政令市を抱える道府県のバランスシートを見ると、いずれも資産超過であるけれど、資産比は6～15％と政令市にかなり見劣りする。地方自治体としてみれば、政令市のほうが格上だといえるんだよ。

総務省による財政再生団体の基準には、バランスシートの考えが著しく欠けていて、ファイナンス論から見ると疑問だらけ。このような問題意識から、私が総務大臣補佐官時代の2007年、全国の自治体に統一基準による財務諸表の作成を指示したんだ。しかし、総務省の官僚は、いまにいたってもバランスシートを理解していないみたいだね。

上念　だから、純資産が100％超えてないとダメみたいな、「無理ゲー基準」なんですよ。

高橋　無理ゲー基準って何のこと？（笑）。だから、そんなバランスシートを出してきて平気な顔をして、それで「うちは財政状況が悪い」なんて聞くと、こいつら何を言っているんだって思うよな。もうそういうのは理解不能。なぜなら民間企業ならば純資産比率

10％でも、結構立派なものだと評価されるわけだからね。

上念 ところで髙橋先生は東京都の財務分析もされていましたよね。

髙橋 純資産比率70％と東京都は資産超過で別格の存在だ。驚くだろう、この実態って。小池さんが「東京都には金がない」とぼやくたびに、馬鹿も休み休み言えって思うよ。

上念 同じですね。都の予備費を使い果たしたことを針小棒大に、「都には金がありません」と。バランスシート上にいくらでも資産があるじゃないか、お前ら……と。

髙橋 連結ベースだと都の資産は確かまだ44兆円ぐらいあるはず。都には関連会社がふんだんにあるから。すごいんだよ。

上念 これが伏魔殿と呼ばれるやつですね。

髙橋 でも、ああした小池さんの発言をマスコミが信じるんだから、すごいよ。

上念 かつて髙橋先生は国の会計においても、特別会計も入れるとバランスシートはこうなっているのだと満天下にバラしました。あれもだから、「母屋でお粥、離れですき焼き」と塩爺（塩川正十郎元財相）が昔言っていましたが、まさにあの状況かと。

髙橋 政府のバランスシートを最初に作ったのは1995年。そのとき、財政投融資改革をやってくれと大蔵省幹部に言われた。

財政投融資というのは、国の投資・融資を一括して扱うもの。国の一般会計だけではなく、特別会計や政府関係機関等、やたらと対象が多い。しかも、そのすべてについて財務状況がわかっていないと作業ができない。財政投融資はあまりに複雑なので「伏魔殿」といわれていた。簡単にいえば、郵貯と年金を資金調達部門、政府関係機関を貸出部門、大蔵省資金運用部はそれらをつなぐ部門と分ければ、世界で一番巨大な金融機関だった。

その改革を行うことで、私に白羽の矢がたったけど、私が受ける条件は、これだけ複雑なので、政府のすべての部門のバランスシートが必要で、それらを作っていいかということだけ。そのときの大蔵省幹部は、財政投融資改革ができるのは私しかいなかったので、私の要求はもちろん了解。

政府のバランスシートを作る過程で、特別会計で隠している秘密を一手に知ることになった。そのときに得た知識で、今でも飯を食っている感じだ（笑）。財政投融資改革のためとはいえ、当時の大蔵省はとんでもないことを私に頼んだワケだ。

3カ月くらいで政府のバランスシートを作った。そのとき直ぐわかったのは、財政破綻論の嘘。破綻しようもないくらいに立派なバランスシートだった。そういうことを私は数字で表しただけだけれどね。あとからは連結も全部つくった。

私がこの作業を1995年に大蔵省ののなかでしこしことやっているとき、周囲の連中は私が何をやっているか承知していなかったから、結構みんな平然としていたんだね。そこで、財政が大丈夫と言うことは口外するなといわれた。その約束は結構10年くらい守っていたが、２００５年くらいかな。小泉政権で郵政民営化をやったが、そのとき、小泉さんとの話の中で、政府のバランスシートの存在をいうとすぐ発表せよとなり、それからが大変だった。だって世に知らしめたら、「財政が逼迫しているので」とは言いにくくなるでしょう。もっとも、発表したときには、「埋蔵金」が話題になり、私は「埋蔵金男」とも言われた。

上念 そうですね。今だと、いちばんお金を持っているところは特別会計だと財務省の外為特会（外国為替資金特別会計）でしょうか？ 今１００兆円以上あるんですもんね。

高橋 資産側の金額だけでは意味がない。重要なのは資産と負債の差額、これが「埋蔵金」。そうだよ。かつては外為とか財投特会などで多かった。特別会計はもうさまざまあるから、いつもデータをアップデートしておく必要があるね。

個人向け国債を買ってはいけないのか？

上念 では次に行きたいと思います。ちなみに「個人向け国債を買ってはいけない」と言っている人がいるのですが、いかがでしょうか？ 要は日本政府が財政破綻するから買ってはいけない。買うのが怖いと強弁している人がいます。

髙橋　そのパターンは、「財政破綻する」と言って、悪徳金融商品を買わせるときによくある手口だよ。だから「現金とか国債は危ないです」と煽って、もっと危ないババを摑ませるっていうやつだな。

上念　そうです、そうです。まさにそういう商売をやっている著名な経済評論家を、私は知っています。彼らは手数料ぼったくりで、なおかつ元本も帰ってこない商品（主に海外の投資信託）を買わせるのです。年会費の馬鹿高い組織を運営して、海外投資信託の仲介業みたいなことをやって手数料を取ったりしているようです。

髙橋　そうだよ、だいたいはそういうパターンだよ。個人向け国債のほうは、現金を持っているのと似たり寄ったりだけども、ちょっとでも利回りがあるだけ、まだいいでしょう。安全ではあるので。

上念　そうですね。なのに財務省の人が財政破綻、財政破綻と言っている。

髙橋　そんなことは、財務省自らが言うわけないというのがこれまで。財務省に振り付けされた小黒氏みたいなのが言っているんだよ（笑）。勝手に彼らがポチみたいになるのは、彼らの責任だってことになってるんだろう、一応。

上念　「本省はそんなこと言っていませんよ」、みたいな。なるほどね。そういうことで

政府の連結バランスシート

資産	負債
資産 1000	国債 1500
国債 500	
	銀行券等 500

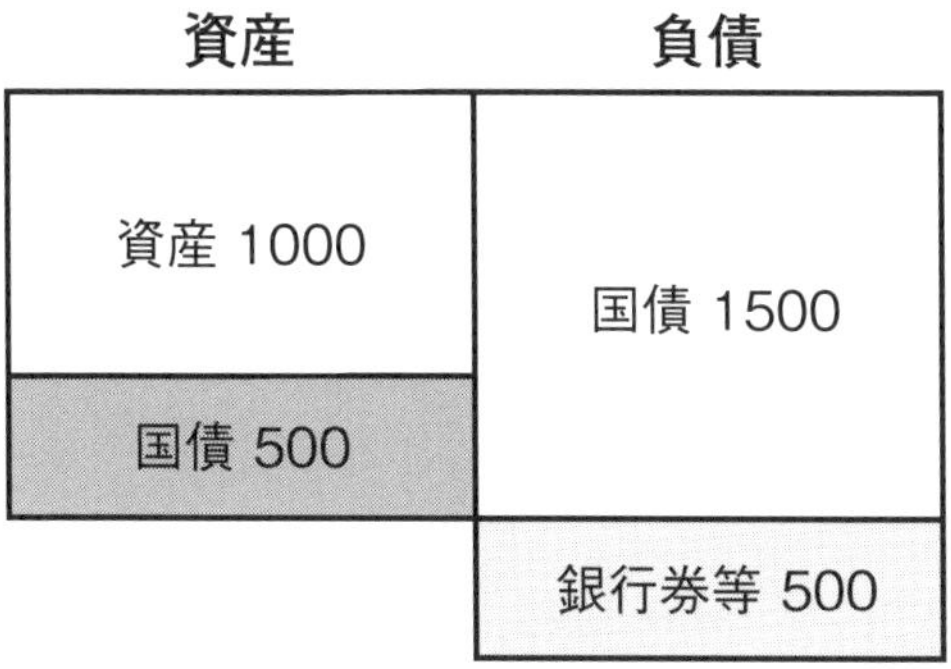

（資料）国の財務諸表（財務省）より高橋試算

すか。財務省の擁護をする人たちは、さっきの著名な経済評論家みたいな、怪しい商品を売っている人に加担しているようなものですよ。

髙橋　ただし、最近の財務事務次官までも変なことを言い始めた。財務省の現役事務次官である矢野康治氏が、『文藝春秋』11月号に日本は財政破綻の危機があるので、バラマキはけしからんという文を公表した。

これは本当にばかばかしい。まず会計論から、政府の日銀を含めた連結バランスシートをみると、政府資産1500兆円、政府負債1500兆円、それに形式的に政府負債である日銀銀行券500兆円となる。日銀銀行券は無利子無償還なので、形式負債だが、実質負債でないので、政府の連結バランスシートからみると、破綻懸念はない。

ちょっと会計知識があり、財政がわかっていれば、簿外の徴税権もあるので、債務超過でないことも一目瞭然。それなのに、矢野氏は、相変わらず、借金が多いと、政府バランスシートの右側の負債だけを言っている。

2番目はファイナンス論からの問題。金融工学を使うので、はっきりってド文系の財務省官僚はまったくわからないようだ。市場で取引されているCDS（クレジットデフォルトスワップ）のレートは0・2％程度。これから5年間の財政破綻確率が金融工学を使うと計算でき、1％程度。天気予報で0〜5％の降水確率はゼロ％という。降水確率ゼロ％のときに、台風が来るので外出はいけないという程度におかしい話だ。

今回、ここまで官僚の無知をさらけ出してくれるとは予想外だった。いずれにしても、悪徳商法が付け入ろうとするのは日本の財政破綻、もしくは年金破綻するか、その二つのパターンでもっと凄いものを売り付ける。

上念　はい。私が実は新橋の駅前で、都議選の公開討論の見物をしていたら、そこにいるサラリーマンに片っ端から声をかけているマンション投資の営業の若者に出会ったんですよ。説明がトロかったんで、「どうしたらマンションを売れるか、俺が教えてやろうか」って逆に彼に伝えました。

まさに今の髙橋先生のロジックと同じです。目の前のおっさんを捕まえて、「日本は破産するんです、日経のこの記事を見てください、経済が混乱したときに一番信用できるのは実物資産。だからマンション投資をやったらどうですか」というような、セールストークを彼に教えてあげたのです。

高橋 もうぐちゃぐちゃの話だよね。だから年金破綻もそういうのに使われる。よく金融機関の年金商品を持っている人に、「これは破綻する、いけませんよ」と言って他の金融商品に乗り換えさせるんだよね。これはあくどいよ。財政破綻論者って、そういうのに加担していることを自覚して欲しいね。

上念 罪深いですね。さらに、数字を見るのが嫌いで、「貸借対照表なんてわからない」と言っている人が、どれだけ生活が危ないかということですよ。

カーボンニュートラルと国際政治の裏側

上念 次のネタに行きます。持続可能な社会が叫ばれていますが、カーボンニュートラルには本当に意味があるのでしょうか、という質問なんですが。

高橋 (笑)国際政治としては意味があるよ。それぞれの国が勝手なことを主張して主導権を争うんだけれど、そのなかにおいては意味がある。ただしカーボンニュートラルそのものに意味があるかといえば、そんなものはこれまでの歴史を見ても、言ってやめた、言ってやめたの、繰り返しで来ているからね（笑）。

アメリカなどはそればっかりだから。みんないろんなことを言ってはいる。でも、これに真面目に取り組む人がどれぐらいいるのかは知らないよ。

上念　（笑）これでみんな儲けようと目論んでいるだけですか？

高橋　もちろん。それはそれで面白い話だからいいんじゃないの。好き勝手にやれれば。これは儲け話の裏側だから。先に述べたように、環境主義者たちは変なことを言ってくるのだけれど、資本主義陣営では、これを儲け話に変えてしたたかにやっているという感じがするけれどね。

上念　なるほど。じゃあ科学的に本当に温暖化するとか言うのは……。

高橋　そんなことはどうでもいいし、よくわからないよ。資本主義社会ではこれでいかに儲けるか。左系の人は環境優先だと言って、いかに社会的な影響力を高めるか。そういうゲームになっているだけだね。

上念　なるほど。そういうことですね。逆に金儲けをするというモードに世界がなっているわけだから、日本も乗っちゃったほうがいいかもしれない。

高橋　それはそれでいいんじゃないの。逆に言うと、これが金儲けの要素がないと、すごい辛気くさいし、やめたほうがいい。金儲けの世界に還元して、それで学者としていろんな意見を言いたいのは、言論の自由で結構ですよと。それでみんながハッピーなんじゃないの、これは。

上念 日本も環境技術については結構いいものがあるみたいですから。

高橋 だってビジネスだからね。いろいろと出てきたら面白いじゃない、それはそれで。

上念 そうですね。いやなんか結構真面目に「温暖化して、こんなことをやっても無意味だ」みたいな、結構そういう人が多いので。まあまあ落ち着きなさいと。

高橋 あとは国際政治の流れで、こういうのはちょっとカッコいいことを言って、世界をちょっとリードしていきたいという人がいてもいいと。でも、何が真実かはみんなどうでもいいのだからね（笑）。

上念 （笑）じゃあその、ビジネスのほうなんですけれども、再生可能エネルギー、これはどこまで儲かりますかっていうのは、いかがでしょうか？

高橋 わからないな。私の家なんかは、結構初期の段階に屋上に太陽光パネルのでっかいのをつけて儲かっちゃった。だから、タイミングによるんじゃないの。でも、今だったらもうやらないよ。

上念 ああ、やっぱりそうですか。九州では太陽光パネルが出過ぎてオーバーフローになって、早い者勝ちでした。すでに電気の買い取りを止める措置が始まっています。

髙橋　そうね。ウチももう設置してから10年ぐらい経つんだけれど、2回目はリプレースはどうかかな。儲かればやるけど。

上念　儲けに関係あるかどうかわかりませんが、再生可能エネルギーには高性能な蓄電池が必要で、日本では結構画期的な技術がいくつか出ていますよね。リチウムを使わないでＣＮＦ（セルロースナノファイバー）を活用するタイプのものが日本製で出たりとか、あとはリチウムイオン電池の金属部分を全部樹脂に変えて容量を１・数倍にするのが出たりしています。

髙橋　うん。自分では投資していないから知らないけれど、儲かったらいいんじゃないの（笑）。いずれにしても、温暖化をあまりめくじら立てないで、左の人が社会運動としてやることを資本主義的にビジネスとして受けていればいいじゃん。

第6章

こんなにヤバイ日本の法律

経済産業省という逆神

上念　髙橋先生は、財界の人たちは経営のことだけやっていればいい。あまりマクロ経済のことを語る必要はないよと言われていました、彼らに何か言いたいことあればちょっと伺いたいのですが……。

髙橋　識別してしゃべってくれれば、私は何も思わない。識別なしでしゃべる人については、「ああ、これ系の話だな」と全部割り切るようにしているんだね。だからはっきりってあんまり話を聞かない（笑）。

だから、経営の話については全部諦観して聞いているし、相手が何を言っても関係ない。提言をされたら、「そんないいビジネスチャンスなのだから、御自分でやってください」と言うしかないよね。それが日本国のためじゃない。ビジネスチャンスを教示、啓蒙しているかもしれないけど、自分たちでやられたほうが簡単でしょう、ってことだよ。

上念　私は経営者に勉強会でよく招かれるので、経営と経済は似ているようだが大きく異なるという話を、直接話しています。中小企業の経営者が多いですけれどね。かつては銀行がしつらえたお客様向け講演会のスピーカーとして行って、「経営と経済は違いますよ。外部性がないでしょう」と言うと、大体みんなそこで納得するのですよ。

髙橋　案外わかる人はいるよ。

上念　中小企業の経営者のほうが、頭が柔軟なんです。大前研一氏は経営と経済の区別がまったくついていないので、彼の話を聞いていてすごく恥ずかしい。ユニクロの柳井正会長なんかもそうですよね。「外部性」のあるなしがまったくわかってない。大企業の経営者には多いんですよ。わかっていない人が。俺たちなんでもできるんだって……。

髙橋　ワタミの渡邉美樹社長なんかも結構勘違いしていたね。だから私は「自分の会社だけでやってください」で終わってしまうんだ。渡邉社長は「そのうちにこうなりますから」とずっと語り続けていたけれど、みんな外れたよ。

上念　外れましたね。彼は「日本は破産する」と言っていました。日本が破産する前にワタミが調子悪くなっています。それと髙橋先生、経産省が提唱する産業政策的な経済活性化策にはほとんど意味がないですよね?

髙橋　そう。経産省の言うことを聞いていたら、バカな財界人、バカな経営者になってしまうよ。そんなのを真に受けて経産省の役人の天下りを受け入れたりなどしたら、そこで会社の屋台骨が崩れるからね。

だから産業政策にしても、私なんかは比較的寛容で、「あんなのを聞いて従ったらバカでしょう」でおしまいにしているよ（笑）。

上念 ああ、なるほど。そもそも経産省の産業政策自体にほとんど意味がないということですよね。だって、進めてみて成功した例などほとんどないですもんね。意外と、共産主義の国ならあるかもしれない（笑）。

髙橋 かもね。「そんなに素晴らしいとわかっているのなら、経産省の人が自らやればいいんじゃないですか」と言うしかないね、私はこの論法をいつも使っているんだ。公正取引委員会に出向していたとき、産業政策にこういう素晴らしいものがあって、経産省が主導してやりたいと言うんだけれど、下手をすると談合になるんだよね。

公正取引委員会としては、一応チェックする立場にあるわけ。ビジョンだけを聞いていると、「ふん、ふん、ふん」て感じなんだよね。その次には「こういうことをすると、5年間でこのぐらいの付加価値が生産できて、雇用がこのくらいに伸びる」と大風呂敷を広げるんだ。

それで、そのまますぐに割り算をして、「給料はこのくらいですね」と示すと、だいたい一人当たりの年収が5000万円とかとんでもない数字になっているんだよ。「あんたなんで役人やっているの？　そこに行ったほうがいいじゃないですか」でおしまいになる。

上念 それで本当に行った人間はいたんですか？

髙橋　いないよ。無理だと思ってやっているわけだから。どうせ彼らは2年すると異動になるでしょう。もう関係ないからね。その繰り返しだけ。だからある種のフィクションだから、人畜無害といえばそうなんだけれど、そんなのに従う経営者がいたら、単にバカだよ。

だから、そういう意味でインディケーターは、いつも正しくなくてもいいと私は思うわけだよね。

上念　むしろ、いつも間違う人は貴重です。

髙橋　そう。経産省の産業政策ってまず成功例がないのだけれど、リバースインディケーターとしては使えるんだよ。すごい皮肉でしょう。皮肉だけれど、私は使えるものは使うから。

上念　半導体だってこんなにダメになっちゃったしね。「日の丸半導体」が大失敗をこいたからです。

髙橋　だから、私は経産省が言い出したら、「ああ、これはダメかなあ」と反射的に考えてしまう。

上念　打率で見ると、髙橋先生のおっしゃる通りですね。

なお、私も逆神をいっぱい知っているんですよ。逆神をきちんと研究するのが、私が主宰する「八重洲イブニング・ラボ」のテーマですから。

髙橋　常に外す人は立派なんだよ。ほどよく当たる人はいちばん困るんだよね。どっちが出るかわからないじゃない。だから、いつも外れている経産省の産業政策は、外す確率が高いからいいよね。

上念　逆張りすればいいんですから。リバースインディケーターをうまく使ったほうがいいとは、説得力がありますね。

髙橋　私はいつも斜に構えるんだ。変な幻想を抱いて、せっかく言っているんだからとその気になってはいけない（笑）。私は冷ややかに見ているだけ。

上念　そういう意味では使い勝手がいいわけですね（笑）。

髙橋　公取にいたとき、私はそれまで経産省が行ってきた産業政策がどれほどのパフォーマンスを残してきたのかをテーマにした学術論文を書いたことがあるんだよ。所詮、経産省はビジョン行政にすぎない、そのビジョンはあまり当たらない、なので民間が下手に従うとろくなことはない、で〆ている。

中央銀行トップが雇用を語るのが世界の常識

上念 ここからは「財政法」「日銀法」「日刊新聞法」「放送法」「マイナンバー法」。この5つの法律のどこをどう変えれば日本を大きく変えられるのか？　これをお聞きしたいと思います。

髙橋 まずは日銀法のなかに雇用の話は入れたほうがいいと思うね。そうしたらマスコミだって「今、雇用はどうですか？　物価はどうですか？」と厚労省に聞かなくなるだろう。厚労省の人は困るんだよ。そんなことを聞かれてもね。

厚労省が雇用統計をつくっているのは間違いないよ。アメリカだって労働省がつくっているように。だから統計については説明をするよ。でも、理由について話すのはお門違い。中央銀行に聞いてくれということになる。アメリカの新聞記者は雇用の問題についてはFRBの議長に聞くんだよ。

上念 法律に書いてもらえればいいですね。日銀法に雇用のことを書き込むということは、当然ながらフィリップス曲線だのオークンの法則だのが背景にあるっていう……。

髙橋 だよね。質問って最初が一番重要なんだよ。だから、マスコミと厚労大臣で雇用について質疑応答をしたら、絶対にかみ合わないし、まともな答えも返ってこない。結局は日銀がずるいんだと思う。マスコミにまともな答えを返さなくていいと思い込んでいる。そこははっきり言って怠慢だよ、日銀は。

上念　日銀のなかには「雇用に関しては責任がない」と思っている人が多いという話ですけれど。

髙橋　多いよ。だって日銀法に書いていないから。だからいくら雇用状況を聞かれても、「関係ない」と思っている。ただ、日銀法に書き加えたら、日銀は相当変わるんじゃないかな。でも、他の国に行けばだいたい中央銀行法に記されているけれどね。これが記されていないほうがおかしいんだよ。

上念　日本だけなんですよね、中央銀行法（日銀法）に雇用のことが書いていないのは。

髙橋　普通は書いていなくても、もう常識だから中央銀行トップがしゃべるんだけれど、日銀総裁が記者会見で雇用状況については我関せずを通している。

上念　黒田総裁は越権行為という意味で、増税のことはしゃべるけれど、雇用のことはしゃべらないですね。

髙橋　本当は黒田総裁がしゃべればいいんだよ。そうすれば、矛盾が出て面白いんだよ。「雇用の確保です」って言ってから「増税しましょう」とわけのわからないことになるんだよ（笑）。雇用は絶対に確保しなければならないし、失業もなるべく少なくしたい。でも増税だと言ったら、ちょっと「ええっ！」ってことになる。その「ええっ！」が重要なんだと私は言いたい。

上念　まずやっぱり日銀法からですね。変えるとしたらね。ここは大きい。次はどれですかね。

なぜ日本の新聞社は絶対に買収されないのか？

髙橋　マスコミ関連については日刊新聞法ぐらいでしょう。これを言うのは私ぐらいだろうね。

新聞社の株主に「株式譲渡制限」がある国など日本ぐらい。新聞社に株式譲渡制限があるということは言い換えれば、新聞社は絶対に買収されない仕組みになっているわけだよ。

2015年に日経新聞が英フィナンシャル・タイムズを買収しただろう。日経新聞が、英フィナンシャル・タイムズの親会社だった英ピアソンから株式を買収したものなんだけれど、これ自体は普通の買収劇だった。

ところが、日経新聞のほうは日刊新聞法に守られて株式が譲渡できないから、決して買収されないんだね。こんなクロスボーダー（国際間で行われるM&A）、恥ずかしくて仕方がない。

要するにこれがあるから、新聞社の経営者は株主側からのプレッシャーを受けない。すごく楽チンなんだな。当然ながら新聞社のガバナンスは利かないよね。その新聞社がテレビ局の株を持つだろう。テレビも新聞社と同じようにまったくガバナンスが利かなくなる。しかも、新聞とテレビで同じような話を垂れ流すから、始末に負えない。せめて、新聞とテレビが別なら、違う意見もでるはず。

こうして新聞社を頂点として構成されたメディアは、〝既得権〟の塊になってしまった。本当は日刊新聞法を廃止して、新聞社がテレビ局を匿ってはいけないとする規定を定めるのがまっとうなんだけれど、まったくその気なし。

上念　それについては『Ｈａｎａｄａ』で、朝日新聞がまったく株主の利益を考えない経営をしていることを書きました。バランスシートを見るとそれはわかりますからね。これはもし私が株主側のコンサルタントだったら、こんな暴挙は許されないぞと訴えますね。

少し前、日刊新聞法のために能力のない新聞社の経営者は、自分たちの談合で任期が終わったら退職金をもらって「はい、バイバイ」ができるのではないかと書いたら、朝日新聞から私のところに直接抗議がありました。「日刊新聞法で譲渡制限はあるけれども、譲渡自体はできないわけではない」と言ってきた。「いやいや、それは限りなくゼロでしょう、気に入らない株主が入ってきそうになったら、制度上は譲渡制限によって門前払いできるじゃないですか」と返したら、何も文句が来なかったですよ。わかっているんですよ、彼らは。

髙橋　そういう形で新聞社は代々やってきたからね。楽をしているのも事実だし、ナベツネがあんなに権力を持つのも、実はこういうカラクリがあるからね。そんなの当たり前じゃない。

上念　株主を気にしなくてもいいってことですよね。

髙橋　先の買収劇を演じた日本経済新聞などは、企業の不祥事を追求する記事で「コーポレートガバナンスが重要」とよく書いているが、自分の会社が一番コーポレートガバナンスが利かないのだから大笑い。株式の譲渡制限でがっちりガードされているからで、そんな仕組みに甘えている組織ではガバナンスなど利くはずない。

株主の権利を奪っておいて、コーポレートガバナンスなんてどの口が言うのって話だよ（笑）。こんなのはジョークとしか言いようがない。

上念　国連人権理事会にロシアとキューバと中国が入っているみたいなもんですね、これ。ノリはおんなじですよね。

高橋　（笑）ついでに言うと、メディアのくせにイベントの主催者になるから、今回みたいにオリンピックの話についての意見も、ぐちゃぐちゃにこじらせてしまった。世界のメディアの場合、普通は株主が注意するんだよ。株主がたとえば、「メディアの在り方として、○○大会の主催者になるな」と言ってくるわけだよ。レピュテーションの問題になるだろう、とね。

ところが、株式の譲渡が制限されているのだからオーナーが代わることがない朝日新聞なんかは、平気で主催者となって販売促進のために、高校野球大会を主催している。本来はなってはいけないよね。だってそこに対して意見が言えなくなるじゃないか。

上念　それは甲子園だけでなくて、学生向けの吹奏楽コンクールもそうですよね。あとはいろいろな美術展とかも。朝日新聞に限らず、昔から新聞社はいろんな大会の後援を熱心にしていますね。

高橋　甲子園は春と夏を毎日と朝日で分け合いっこした。アブれちゃった読売は、箱根駅伝や高校サッカーだったり、そういうところに向かって行った。

上念　ちなみに、バブル期の話ですが、わが中央大学主催の「花井卓蔵杯争奪全日本雄弁大会」の後援は産経新聞と日経新聞でした。

高橋　歴史的な経緯があるかもしれないけれど、新聞社は後援から引くべきだよ。経営資源としても販売促進なんてあまり大したことはないし、文化事業のつもりでやっているんだろうけれどね。でも、それはやはり言論を〝制約〟するよね。

上念 確かに、「吹奏楽コンクールでクラスターが出た」なんてことになったときに、朝日新聞は……。隠すかもしれないし。

髙橋 株主が普通であれば、「今回、今度こういう事業をします」と新聞社側が示したとき、株主の方が「ちょっとそれは」と言うよ。「こっちに注力しろ」とかね、そんな株主がいないから、新聞社の経営がデタラメになっているのではないかな。

上念 うーん、なるほど。日刊新聞法はなくなったほうが良さそうですね。他にはどうですか、髙橋先生。

電波オークションを導入できなかった真相

髙橋 後は、放送法とそれに伴う電波オークションの話をしたいね。私は電波オークションについては正直言うと、言い疲れた（笑）。さすがにずっと同じこと言っているのがバカらしくなってきた。なぜなら、まったくまともな方向に向かっていないからだよ。

先に私は、新聞社が子会社のテレビ局を支配しているという構造的な問題があると指摘した。そのテレビ局が既得権化している理由は、地上波放送事業への新規参入が実質的に不可能になっているからなんだよ。

日本では2019年の電波法改正で、競争入札方式の電波オークション導入が検討された。電波オークションとは、電波の周波数帯の利用権を競争入札にかけることです。

ところが、総務省やテレビ局の抵抗で、本格的な導入は先送りされた。しかし、「価格競争の要素を含む新たな割当方式」が創設され、先進各国から20〜30年以上遅れて電波オークションができ得る制度になった。現時点で世界で電波オークションをやっていない国は日本と中国、北朝鮮くらいでしょう。

最近、マスコミの人に「髙橋さんが競争入札方式の電波オークション導入を叫んでいたときにやっていたら高く売れてよかったよね。今は価値がなくなってきてテレビ局は困っている」と言われます。

総務省にいった2006年頃に地上波テレビ局がCS放送やBS放送を新規参入組に権利を売っていたら、今みたいに番組をつくるのに困らないし、何より高く売れたはず。私が躍起になっている頃、バブルのときに売っていたら、テレビ局は左団扇になっていただろうね。最盛期の価値から見たら、今は半分、いや3分の1ぐらいではないかな。

上念　通信会社は文句を言わなかったんですか？　オークションに自分たちも参加させ

電波オークションの導入国一覧

区分	導入国		主な未導入国
	第Ⅰ群	第Ⅱ群	
アジア	インド、韓国、シンガポール、タイ、台湾、パキスタン、バングラデシュ、香港、マカオ	インドネシア、カンボジア	日本、北朝鮮、中国、東ティモール、ブルネイ、ベトナム、モンゴル、ラオス
オセアニア	オーストラリア、ニュージーランド	フィジー	サモア、ツバル、パプアニューギニア、トンガ
中東	サウジアラビア、トルコ、バーレーン、ヨルダン	イスラエル、イラク	アフガニスタン、イエメン、オマーン、クウェート
ヨーロッパ	アイスランド、イタリア、英国、エストニア、オーストリア、オランダ、ギリシャ、クロアチア、スイス、スウェーデン、チェコ、デンマーク、ドイツ、ノルウェー、フィンランド、フランス、ブルガリア、ベルギー、ポーランド、ポルトガル、ルクセンブルク	アイスランド、アルバニア、ウクライナ、キルギス、スペイン、スロバキア、スロベニア、セルビア、ハンガリー、マケドニア、モルドバ、モンテネグロ、ラトビア、リトアニア、ルーマニア、ロシア	アルメニア、アゼルバイジャン、ジョージア、コソボ、ベラルーシ
北米	米国、カナダ		
中南米	アルゼンチン、ウルグアイ、エクアドル、チリ、パラグアイ、ブラジル、ペルー、ホンジュラス	コスタリカ、コロンビア、メキシコ	ニカラグア、パナマ、プエルトリコ
アフリカ	ナイジェリア、モロッコ	アルジェリア、ガーナ、カーボヴェルデ、チュニジア、ブルキナファソ	ウガンダ、エチオピア、カメルーン、コートジボワール、ニジェール、ベニン、ブルンジ、マラウイ、モザンビーク

注：下線はOECD加盟国。
作成：（株）情報経済研究所

参考：規制改革推進会議投資等WG（2017年10月11日）での鬼木甫・情報経済研究所所長提出資料
https://www8.cao.go.jp/kisei-kaikaku/suishin/meeting/wg/toushi/20171011/171011toushi01-2.pdf

ろ、みたいな話は出てこなかったのでしょうか?

髙橋　あの当時は他のメディアがないから、ネット上で論陣を張るのは無理だったから、私はそういう意味でちょっと早すぎたのかもしれないね。でも、もともとネットが好きだったから。官庁のなかで早い時期、1990年代前半にホームページをつくった。一番最初はさすがに郵政省。二番目は大蔵省だった。それを私が全部つくったんだよ。

上念　コーディングまでしたんですか。HTMLで書いたんですか?

髙橋　当たり前だよ。あんな簡単なもの。でも当時の大蔵省でサイトがなかったから、官邸のものが空いていたから「貸して下さい」と頼んで立ち上げた。官邸にはネットをやる人がいなかったから、「どうぞ」って貸してくれた。でも、あまりにも奇妙でしょう。だからテレビの取材もあったの。そのときに「顔を映すな」と上から言われたんだ。私のクリックしているこの手だけが映っていた(笑)。

それだけは覚えている。まあ、そういうのが好きだったからね。自分としてはネットでやるのが当たり前という感覚はあったんだけれど、なかなか世の中がついてこなかった。そのときにはついでに大蔵省の発表資料をネットで流しちゃったんだよ。すぐ記者クラブから抗議がきたね。やめてくれって。

上念　記者クラブの意味がなくなってしまいます。

髙橋　定型的な発表資料だったので、記者クラブには連絡しなかったんだよ。ただ後で広報から大目玉を食らった。「全部広報を通してやってくれ」ってね。

その当時は文書課がプリントアウトしてマスコミ各社が持ち帰って記事にするっていうパターンだった。ネットならば半日ぐらい前に出せるから、記者は記事を書く時間が省けると思ったんだよ。

上念　今はもうそれは当たり前になったんで、ここで新聞の価値が一つなくなったという感じですね。今は逆に新聞の記事が「あれ、これ、おかしいぞ」っていうときに役所のホームページにアクセスします。「そんな資料ない」「ニュアンスが違うぞ」ってチェックしていますからね。

テレビよりメディア力が高くなったネットの世界

上念　それにしてもテレビの影響力は落ちました。衛星の力を借りなくても今はネットで生中継ができますもんね。

髙橋　そう、ネット放送できるようになったからね。ネットがここまで幅を利かせてくると、さすがに今さらテレビ局を買うところはないし、電波を買っても通信に使うぐらい

地上波テレビ：
40chのうち7chしか使っていない（茨城県の場合）

	13	14	15	16	17	18	19	20	21	22	23	24	25	26	27	28	29	30	31	32
水戸	E	N	T		A	V	F	G												
高萩																				
筑波																				
日立	E	N	T		A	V	F	G												
鹿島								G						E						
山方								G	F	T	V	A		E						
大宮								G	F	T	V	A	N	E						
男体								G	F	T	V	A		E						
北茨城																				
竜神平				G					F	T	V	A								

	33	34	35	36	37	38	39	40	41	42	43	44	45	46	47	48	49	50	51	52
水戸																				
高萩			F			N	E		T		A			V	G					
筑波																	G			
日立																				
鹿島																				
山方		N																		
大宮																				
男体		N																		
北茨城								E		G										
竜神平							E		N											

中継局のチャンネルはソフトウェアで変更できる
参考：規制改革推進会議投資等WG（2017年10月24日）での池田信夫・アゴラ研究所所長提出資料
https://www8.cao.go.jp/kisei-kaikaku/suishin/meeting/wg/toushi/20171024/171024toushi01.pdf

しかないんだよね。それでもニーズはあるよ。ただ前ほどのニーズはないし、ステータスが欲しいからとか言う人も少なくなってきたな。

上念　また、圧縮技術が想像以上に進歩していますよね。昔はすごく広い帯域がないと映像を送れなかったんですが、いまは圧縮技術が圧倒的に進歩して、高密度、高画質なデータなども狭い帯域で送れてしまうんですよね。それに伴って、圧縮してそれを再生する技術も発達した。そうすると衛星のアップリンクのような太い回線は要らなくて、一般視聴者からすれば何の違いも感じません。

髙橋　だからネットが完全に競合するようになったよね。ネットの帯域はあまりないんだけれど、それでも何とかなっているからね。地デジにしたとき、アナログ放送で使用していたUHF帯域を圧縮することにより、残りの帯域を通信など他の電波利用に振り向けられるはずだった。

テレビに使うよりネットにして使ったほうが社会インフラ的には効率的なんだよ。でも、テレビ局がしがみついていて、この話をするともう大変だよ。最近はついに新聞業界が「電波オークション反対」って言い出していて、わけがわからないもの。恥ずかしいというか、みっともないというか。親会社が子供の話をしているんだよ。

上念 これが結局、日本が地上波のチャンネル数が異常に〝少ない〟理由なんですよね。フィリピンなどの新興国でも無料のデジタル放送がいっぱいあるのに、日本は未だに公共放送とキー局が5局ぐらいしかない。

髙橋 この体制にしがみついて従来の支配構造を維持したいだけ。でも、そんなものは全部崩れるね。

上念 うーん。今テレビのリモコンのボタンにもＮｅｔｆｌｉｘとかＨｕｌｕとかがついているので、地上波のチャンネルを押さえてデフォルトでＨｕｌｕとかを見ている人がいますよね。

髙橋 私の事業も今ではネットのほうが収益を上げている。広告売上もネットのほうがはるかに高くなっているよ。私の知り合いの上場企業の社長なんか、昔は朝の番組でずっとテレビＣＭを流していたんだが、コストパフォーマンスが悪いから止めたと言っていた。

ネットは双方向でしょう。リアルタイムで視聴傾向が全部わかる。全数調査が可能だから。一方でテレビは参考調査でしかない。全然マーケティングパワーが違うって言っていたよ。ネットの技術にもう全然負けているんだよ、テレビは。

だから、私は電波オークションについて、最近は何も言っていない。笑っているだけだよ。「あーあ、15、20年前にやっていればよかったね」って(笑)。「タイミングを失すると大変だねえ」といつも言っている。

上念 あのアパレルの雄「しまむら」がテレビのCMをゼロにしたんですよ。ゼロにして。全部ネットCMにしたら、売上げがものすごく増えたということですよ。ターゲットを絞れるからですね。

また、同じ時期でも北海道で売るものと、九州で売るものは全然違うので、北海道のそういうエリアにカスタマイズした広告をネットでは入れられる。でも、テレビだと難しいですよね。

髙橋 難しい。さらに広告代金もネットのほうが安くて、コスパがいい。

国有財産の本来あるべき姿は入札

上念 2000年代の半ば、私はケーブルテレビの仕事をしていました。当時はデジタルテレビが出るので各社は放送信号を受信してテレビで視聴可能な信号に変換するSTB（セット・トップ・ボックス）の開発に躍起になっていました。アメリカに視察に行くとすでにテレビとネットの契約をセットにして売っていて、「日本もこれをやらなきゃやばいね」と言っていたのを覚えています。でも結局、日本は何もできず仕舞いでした。

髙橋 その頃に私は内閣府と総務省（総務大臣補佐官）に行っていたよ。

上念 ああ、まさに。アメリカのケーブルテレビは必死にそれやったから、今もちゃんと残っているじゃないですか。

髙橋 日本だってそれをやればよかったんだよ。経営感覚がない人たちが仕切っているとダメなんだよ。

多くは新聞社からクロスオーナーシップでテレビ局に来た人で、「ああ、俺は新聞からテレビに出されちゃった」と忸怩たる思いを抱いているからね。ダメだよ。やっぱりテレビ局生え抜きの人のほうがよくわかるよ。新聞から来た社長は大体、テレビをバカにするんだよ。わかるでしょう。「あいつらは文字を書けない。お前の書いている文字も酷いだろう」とか言って苛めるんだね（笑）。

そういうふうに目くそ鼻くそを笑うことをするからね。そういう人が新聞に多いし、テレビも毒されてしまったね。もし端から分離していたら、違う文化が育ったと思うけれどね。それで、私が総理大臣補佐官のときに「波取り記者」が来たんだ。波取り記者の「波」とは電波のことだよ。最初はテレビ局の人かと正直思った。うだつが上がらなくて、接待だけがうまい人間で、若くないからすぐにわかるんだよね。

上念　波取り記者は記事を書かないんですよね。

髙橋　そう。新聞社に勤めているくせに記事を書かない。年中私の周辺にいて、予定はどうのこうのとか、接待をかけるんだよ。私はうるさいから全部断ったね。最初はね、テレビ局は電波を持っているから、テレビ局から彼を送り込んだのだと思っていたんだ。たとえば2000年以前には金融機関にもMOF担という大蔵省接待係がいたけれど、銀行業務でないときには銀行の子会社の人間が接待をかけてきたので、彼は新聞の子会社のテレビ局から来たのだと思い込んでいたわけ。でも彼は親会社の新聞から来ていたんだ。「なんで親がこんなところに来るんだよ！」。私はそんな感覚だったな。

上念　これはもう放送法を変えたほうがいいですね。

髙橋 だから、クロスオーナーシップを禁止して、あとはまっとうな株主を入れることだろうね。

上念 他の技術でもネットに追いつかれて、もはやテレビは追い落とされそうです。

髙橋 ただ電波としては意味があって、携帯会社は喉から手が出るほど欲しいからね。電波は国有財産なわけだから、実は財政法の関連規定があって、国有財産は入札にしなければならないということが定められているんだよ。それで私は「原則入札にしないといけない」と総務省を攻めた。国有財産の本来あるべき姿は入札なんだよ。だって公共事業はみんな入札でしょう。そういうのと一緒なんだね。国有財産は原則入札だから。

上念 森友学園が問題になったのも入札をしなかったからですよね。

髙橋 そうそう。あれも財務省の出先機関である近畿財務局が入札で処理しなければならないのに、しなかったんだ。ここが一番の問題なんだけれど、この話は絶対にみんな言わない。これを言われると、国有地の入札問題がクローズアップされる。財務省が大手新聞社に土地を渡していたのがみんなバレてしまうからだよ。日経新聞の大手町の本社は疑似入札だけれど、読売新聞をはじめとしてあとはみんな事実上入札ではなかった。

上念 朝日新聞の本社がある築地の土地もそうですか？

髙橋 朝日のやつは入札ではなく、確か等価っていう意味の交換だったと思う。等価ではないものを一応等価交換って言っているようなものだけれど。だから森友の話なんかでも、私は喜んで「入札しなかったのが問題」と書いたけれど、大新聞は絶対に書かない。結果的には入札の話は全部抜きにして、価格を安くしたという、そこから話をする。一番最初に入札にしていると、実は値引き後で入札になるので、値引きは問題にならないはず。要するに値引きで価格が決まっちゃうからね。

上念　入札しなかった大ポカを隠すために言い訳したら、話があんなに大きくなっちゃったわけですか。

髙橋　仮に新聞が森友学園問題の原点が入札しなかったことにあると報じたら、私はすぐに追い打ちをして、「ところでお宅の新聞も入札せずに本社を建てられましたね」と言ってやろうと思っていたんだよ（笑）。それを期待していたんだけれど、一切この話は出てないの。ある意味ですごいね。

上念　そうするとこの話は、電波は本来国有財産だからオークションをしなければならないというのがオチですね。

髙橋　ずっとそれは言っていたの。そのときに気の毒だったのは、総務省の通信放送関係の懇談会座長を務めていた東洋大学の松原聡教授だった。電波オークションのメリットを語っていた彼は、その後、はっきり言って干されてしまった。別に彼のせいじゃないのにね。

新聞協会の時代遅れは甚だしい

上念 電波オークションが具体的に導入されるとなったときには、今放送局が持っている電波も全部1回オークションにかけられるんでしょうか？

高橋 普通はそういうのはあんまりしない。リバースオークションと言って、売りたい人は売れるのが普通だよ。全部召し上げるっていうのはないよ。「リバースオークションで買い取ります。経営は悪くならないから、高いうちに売ったほうがいいですよ」と私なんかはずっと言い続けていたんだけれど、それをわかってくれない人がいたね。

上念 そのリバースオークションにかけないと、テレビ局の株主が「なんでこれを売らないんだ」と騒ぎ出す、みたいなことになるでしょうね。

高橋 でも株主が新聞社だからね（笑）。根本が効かないんだよ。資本主義の普通の基本が効かないようになっているんだ。

上念 アメリカなら、そこで経営者が株主に訴えられる。

高橋 日本にはそういうのがないから、なかなか大変なんだ。だから、日刊新聞法と放送法は結構罪深いよ。電波オークションについては新聞の反応が20年前とほとんど同じだから、正直言って笑っちゃうんだよね。もう言い疲れた。

先般、新聞協会が「弱小の放送事業者が大変になる」というロジックばかり並べていたのを見たんだけれど、私は「でもお宅、電波を売らなかったら大損しましたね」と嫌味の一つでも言いたくなるよ。弱小の放送事業者なんか、もうわざわざ電波を買ってこないよ。

上念 今それが負担になっていますからね、あの人たちにはむしろね。

髙橋 そう。新聞協会の時代遅れは甚だしいよね。

マイナンバー普及率向上のカギを握るデジタル庁

上念 じゃあ次は、マイナンバー法と財政法にいきましょう。

髙橋 私は2000年の頃、デジタル化の仕事をしていた関係で、関東財務局に出向していた。その当時、預金保険機構から新たに金融機関のシステムを築くのであれば、いずれマイナンバー制度が動きだすから、顧客の一元管理をするための「名寄せ」についてもスペースを空けておくようにと金融機関に指導した。

上念 名寄せね。マル優のときに、名寄せに不正利用が多いとすごく問題になっていましたね。

髙橋 私は2000年代の最初の頃も、名寄せがうまくできないと上からぶつぶつ言われたんだけれど、それは番号を使わないからなんだよ。名前とか住所とかで登録させていたからだよ。

上念 それでは特定できないですよね。

髙橋 あとは入力の仕方が違ったりして、なかなか特定できない。本当を言うと「番号」があると一番簡単なんだ。当たり前だけれど。

上念 「マイナンバーに1年以内に登録しないと預金を召し上げる」とかにするとみんな必死になって登録するんですけどね（笑）。

髙橋 結構簡単にやらせる方法は、政府が給付金を配るときにマイナンバーがある人が有利になる、ってやつだろうね。銀行口座とリンクしていれば、給付金は銀行振り込みでパッと来る。

上念 あれもマイナンバーのカードがないとダメ、みたいな変な議論になってしまいました。カードなくてもナンバー（番号）があるんだから、どうにかならないのかと思います。たとえばTポイントカードは、別にカードがなくてもアプリで使えるわけですから。なんでマイナンバーだけもっと活用しないのかなあ、と思ってしまいます。

このままだとマイナンバー制度は使えない制度で終わってしまう気がします。

髙橋　さっきも言ったけれど、次に給付金を配るときに使うと、マイナンバーカードの普及率がぐっと上がると思うよ。２０２１年3月からマイナンバーカードが健康保険証代わりに使えるようになったし、特定健診の情報や投薬履歴なども確認できるようになった。医療費控除の税務情報も電子的な確定申告で容易に使えるだろう。さらに、26年中に運転免許証の一体化も実現する方針だよ。

個人のマイナンバーとすべての預貯金口座のひも付けの〝義務化〟をはじめ、徐々に徐々に一歩ずついろんな社会インフラとリンクさせていけばいい。他の先進国のように、マイナンバーで税務申告をさせれば、銀行口座のトレースができるので、課税の公平や税務の効率化にもなるだろう。

上念　先にスタートしたデジタル庁はこれをやってくれるんですかね。

髙橋　やらなかったらバカだよね（笑）。20年前に計画していた話だからね。はっきり言って、普通はやったほうが合理的だと思うんじゃないのかな。

上念　普通はね。なんでやらなかったんだろうと思いますよ。

髙橋　私だって不思議だよ。私は20年前にｅ-Ｔａｘのシステムをつくったのに、なんでこれを補助金給付システムに転用しなかったのか、不思議でしょうがなかったよ。

プログラムも結構シンプルだしね。工夫したのは本人確認のところだけで、あとは全部簡単だから。どこで使うかと思ったら、国庫金を払うときにはちょっとはe-Taxを使ったという話を聞いたんだけれど、大々的に国民には使っていないからね。

上念 そうすると、給付金の遅れの問題とか不正受給の問題とかも一気に解決できそうなんですけれど……。

髙橋 20年前にはすでに基本的なシステムができている。あとは個別のプログラムを付け加えればよいだけだよ。私はもう歳をとったから、さすがにプログラムをつくれと言われても、目がショボショボするから嫌だけれどね。20年前だったら「やってくれ」って言われたら「ああ、任しておけ」って感じだよ。

上念 そんな難しくないプログラムだったら、書けるような人はいっぱいいるでしょうから。プロからしたら、大して難しい仕事じゃないでしょうに。

「財政法5条 国債の60年償還ルール」を無視し続けた髙橋洋一

上念 じゃあ最後、本丸の財政法に移りましょう。

髙橋 財政法自体は昔の法律だから大したことは書いていない。つくられたのがえらく昔のことだからね。でも、思想的には健全主義が出ている。
私はね、この財政の健全主義を財務省はどんどん進化させて、今の緊縮財政ができてきたと思うわけ。財政法にはそんなにすごい規定があるわけではないからね。それを解釈によって、どんどん動かしてきた。一番現れているのが、たとえば日銀引き受けはいけないとか……。

上念 ああ、それは財政法5条ですね。

高橋 これには例外措置もあるから、私は例外措置をどんどん拡充して、日銀引き受けをやったことがある。現実に日銀引き受けは国債残高を増やさない限り、オーケーなんだよ。なぜ国債残高を増やさない日銀引き受けはオーケーなのか？　実は通貨量が一緒だから。

ではなぜ通貨量が一緒だとオッケーかというと、通貨量が一緒だったら少なくともハイパーインフレは無いから。そうしたロジックがなされている。それだったらインフレ目標を入れれば終わるんだよ。日銀引き受けはインフレ目標を守っていればいいということで、ローリスクの話なんだね。

この財政法がつくられたときにはインフレ目標がなかったから、国債を日銀では引き受けてはいけなかった。その運用としてギリギリ貨幣量が増えないレベルはオーケーだというところまでやったんだよね。
それを今流に直すと、インフレ目標があれば実は日銀引き受けオーケーというふうに書けますよ、と。これは今流のやり方ね。要するにインフレ目標とは、財政リスク対策の基本になっている。そうしたロジックで実際にやったのは私しかいませんがね。
上念 国債の60年償還ルールがあるでしょう。
髙橋 あれは要らない。あれは世界にはないから。もし書くとすれば、政府と中央銀行を一体と捉える「統合政府」のバランスシートが悪化しないように運営しろ、で終わっちゃう。そこで全部できるんだよね。
上念 そこで統合政府って書けば金融政策と財政政策のくだらない争いもなくなっちゃうんですね。
髙橋 一緒にできるし、さっきの国債の60年償還ルールなんか、別に屁でもないんだよ。そういう風に主旨を歪めないで今流に直す。60年償還ルールの減債基金があるのは事実で、他国にもあったんだけれど、もうそれはバカバカしいから他の国はみんな止めているんだよね。
そういうときに、ルールなしで何でもいいよっていう話が必ず出るから、統合政府のバランスシートを際立って悪化させる場合は止めろとなっている。だからこれはインフレ目標と整合できるものでもあるんだけどね。

上念　「財政法5条60年償還ルール」を直すだけでもだいぶ違いそうな気がしますね。

髙橋　はっきり言うとね、こんなことを言っておかしいかもしれないけれど、私なんか60年償還ルールを守ったことはないよ。

上念　（笑）えぇーっ、どういうことですか？

髙橋　（笑）一般会計当初予算のときに、60年償還ルールによると減債基金を積まなければならないいんだ。それで国債残高の60分の1は1・6%でしょう。これは積立金を積まなければいけないとだけしか書かれていない。そして私は積んだことがないんだよ（笑）。ずっと無視した。どうやって無視するかというと、毎年の予算の時に特例法を出してきて、「積立金を積むのを止めます」と言うんだよ。そればっかりやっていたよ（笑）。みんなには「守らなきゃダメだ」と責められたけれど、「いや、ルール自体がおかしいです」と突っ撥ねた。

私は単純だから、世界の例を説明して、「こんなことはまったくしなくて大丈夫ですから」で通したよ。

上念　うーん。逆にその措置を恒久化すべきですね。

髙橋　ただし、突っ張っているときも統合政府のバランスシートを頭に入れながらやっていた。だから野放図ではない。そこはMMT（Modern Monetary Theory）の人とは違う。MMTの人たちは野放図この上ないよ。

上念　あの人たちは国と中央銀行が野放図にやっても何も起こらない、という宗教を信じている人たちですからね。

髙橋　MMTの人が論拠としてあげているのが、実は私がつくったものばかりだったということを知っている？　日本国債は大丈夫だとMMTの人が論拠として使っているでしょう。外国債じゃないから大丈夫だと。あれを書いたのは私だけだよ（笑）。

MMTはまやかしだよ、はっきり言うと。インフレ目標を財政リスクに入れるとか、統合政府のバランスシートで財政リスクを守るというのが正当だよ。

そもそも、私の言っていることは、25年前にプリンストン大に留学して、バーナンキやクルーグマンから教えてもらったことばかり。その当時、彼らがインフレ目標をいうから、日本でもインフレ目標を入れるべきと私は主張した。

さすがに、彼らは後にFRB議長やノーベル賞受賞者になるくらい賢い人なので、インフレ目標は世界の潮流になった。日本も先進国でビリだったけど、安倍さんの時代になって2013年に導入した。25年前にインフレ目標はダメだといっている人は今はどうしているのか。

それと、今MMTなんていっている人は、その当時の話をまったく知らないで騒いでいるだけ。クルーグマンらは、MMTをホントに馬鹿にしているけど、日本ではマスコミ報道でも知られていない。

いまだに減債基金積立を主導しているアホな総務省

上念　統合政府のバランスシートで、一方的な債務超過に陥るようなことがないようにというのはそういうことですか?

髙橋　そう。統合政府のバランスシートで悪化しないというのは、通貨の貢献とかそういう要素を加味しながらきちんと見たときに、財政が破産しないという意味なんだよね。そういう意味での債務超過が一定額以上になると、破産する確率は高くなるのは間違いない。これはちょっと不安定だから言うんだけれどね。でも、MMTとの違いはそこなんだよ。

上念　でもMMTに対する今の財務省の見解は、まさに日本の極端から極端に行く人を象徴しています。もう財務省っていうのは「羹に懲りてなますを吹く」どころか、なますも怖くて見られないみたいな感じで、「国債の60年償還ルールを厳守しなくて大丈夫か」

って、世界が何とも思っていないのに心配しているわけですよね。逆にMMTの人は「日本はもっと借金をしろ、財政赤字はどこまでも拡大可能だ」と言っているんですから。

高橋 定量的に議論できない人って両極端しかないんだよ。だから必ず単純な話しかできないでしょう。でも、私は国債の60年償還ルールを徹底的に無視した。

上念 無視して。何も起こらなかったから凄いですよね。日本はハイパーインフレどころか、なかなかインフレにもならなかった。

高橋 日銀引き受け額の財務省の歴代最高額の記録は私でございます（笑）。みんなに言われたよ。「30兆円もやったのかなあ。大変になるでしょう」と言われたんだけれど、あくまでも定量的にやっているから、大丈夫だってわかるんだよ。かなり余裕を持ってやっていたからね。

私が国債の60年償還ルールをシカトする判断をしていたのは1990年代の前半だったんだけれど、それ以降無視した奴が多いんだよ。私みたいに特例法を出してね。前例があるから安心してやったと言っていたけれど、私にしたって最初ではなかった。でも、その前は少なかったんだよ。

私が平気でやったのは、「必ず60分の1ずつ毎年積み立てなさいよ。そうしないと償還が困るから」という一見もっともらしいロジックを見破ったからだった。だって銀行が貸し付けている人が、基金を持っているわけないでしょう。それと、国際会議で財務省ロジックを説明したら、他の先進国の人から減債基金はかつてやっていたが今はやっていないと指摘されたから。

上念 最悪の場合、借り換えもできるじゃないですか。

髙橋 そう、借り換えローン。それで実は基金がなくても「国債整理金」というものがあって、そこでいくらでも債券を出せるんだ。そういう借り換えができるんだよ。私はその仕組みを知っていたから、基金がない分だけ借換債を出せば大丈夫だと。

財務省のなかを説得するとき、みんな「大変だ」と大騒ぎになったんだけれど、「ああ、これは数兆円の借換債を出せば終わるんです」と言った。そのときに国債の償還状況に依存するのだけれど、通常は飛ぶように売れているからね。だからこの数兆円というレベルは平気の平左だった。それから国債発行計画のほうに借換債をちょっと増やしただけなんだよ。でも、それで終わり。

上念 何も起こらないですね、それで。

髙橋 現金償還しているわけでないし、ほとんど乗り換えをしているだけなんだ。そして借換債を出せば買う人がいるから、それで回せばいい。それで辻褄が合う。だから、減債基金はもう必要がなくなったわけだよ。

けれども、この話を理解できない人が信じられないほど多い。国のほうは平気で減債基金を止めた。それでも、地方自治体はみんなやっている。地方債っていうのは200兆円程度あるんだけれど、みんな減債基金を積んでいるよ。

上念 何の根拠もなく。その金を寝かせているということですね。

高橋 そう。総務省が地方を主導している。そういうふうにレギュレーションを動かしている総務省はバカだと思うね。

上念 ええ、本当にムダ金ですね。

MMTはド文系のまやかしの経済理論

上念 高橋先生、財政法を変えれば、それも変わるんですか？

高橋 変わると思うよ。でも、総務省の中で私みたいに、省内を説得で動かし、省を辞める勇気をもっている奴はいないでしょう。

だからはっきり言って、国が特例法を出して動いたら、同じようにやればいいんだよ。やっちゃえばすっきりなんだよ。国債についても特例法を出しているわけだから、地方債も特例だと言ってやってしまえばいいんだね。

上念　知事が「国債でやっているんだから、別に地方債でやったっていいだろう」と、反逆する可能性はあるのでしょうか？

髙橋　いくら言っても、総務省がダメだと拒むよ。まあこれに絡んだことが実は政治の世界にもあるんだね。

上念　地方債はほとんどマーケットが形成されていないですもんね。ほとんどが相対取引じゃないですすか。

髙橋　うん。でも、全国調査はやるけれどね。公募地方債については、今は入札制になっている。これは私が総務省に行って総務大臣補佐官をしていたときにやった仕事で、「地方債の金利の自由化」と言われて大騒ぎになった。金利が全部一緒だった公募地方債を自由化したので、金利がバラバラになった。それでそのときに一番文句を言ってきたのが太田房江府知事だったんだ。「そんなことをしたら大阪府はどうなっちゃうんですか」ときたよ。

大阪の財務分析をした私は、せいぜいコンマ5ぐらいしか変化しないと予測した。それで太田府知事に「このくらいの差ははっきり言って励みですよ」と言った。すごく大きな差が出て本当に財政が大変になったら困るだろうけれど、他と比べて財政が良くなかったから、こういう結果になったわけだよ。でも、太田府知事のように金科玉条のごとくルールにこだわって、自由化がよくわからない首長もいるからね。

やっぱり合理性がないとダメ。かといってＭＭＴみたいに野放図にルールを破ってはいけない。ちょっとだけ金利差が出たほうがいいというのが、当時の私の判断だった。

このところＭＭＴ（現代貨幣理論）がよくマスコミに取り上げられている。日本のあるＭＭＴ論者は「５０００兆円国債を出しても問題はない」と豪語していたけれど、それは明確に誤りだよ。試算してみたら、インフレ率が１０００％程度になることがわかった。するとそのＭＭＴ論者は「インフレになるまで借金をするという意味だ」と言うのだが、それもおかしいんだ。なぜなら、インフレ目標２％以内という条件のもとなら、借金が５０００兆円になるまでに数十年かかってしまう。そのＭＭＴ論者は、インフレ率がどうなるかなど頭になかったことがわかったよ。

ＭＭＴに数式モデルがないことは一般の人にはあまり関係がないかもしれないが、専門家の間では大きな問題となる。たとえば、相対性理論を数式なしでＭＭＴ論のように雰囲気で説明することはできるだろうが、数式なしでは正確なＧＰＳ（全地球測位システム）は築けないからだよ。

私を含めて日本の「リフレ派」は、世界の経済学者であれば誰でも理解可能なように数式モデルを用意してきた。それは20年前の『まずデフレをとめよ』（日本経済新聞社）に書かれている。その数式モデルは、①ワルラス式、②統合政府、③インフレ目標、で構成されている。これらのモデル式から、金融政策と財政政策を発動するとインフレ率がどう変化するのかが、ある程度は定量的にわかるようになっているんだよ。

リフレ派は必ず数式モデルで説明するから、アメリカの主流経済学者からも批判されていないんだ。ところが日本では、なぜかリフレ派の主張がしばしばMMTの主張と混同されてきた。要は。MMT論者が都合のいい部分だけを取り上げているからだろうね。先ほどの本の私が書いた一部は英訳して、バーナンキらにも見せている。クルーグマンは、MMTをまやかしとこき下ろしている。

上念 なるほど。財政法に戻ると、やっぱり財政法は変えたほうがいいですね。

高橋 財政法を変えて、より合理的にやるっていうことだね。

➡地方債の金利談合をしていた総務省地方債課長

上念 髙橋先生が今まで言われてきたことは全部そうで、旧来の縛りは外すのだけれども、時代によって新しいルールを導入して、しっかり規律をもってやろうということですね。

髙橋 そんなのは当たり前の話だよ。まったく意味がなかったら廃止すればいいんだけれど、まあ歴史があるからそれなりの意味はちょこっとはある。だから意味のないものは廃止にするけれど、〝今様〟に直すのが常道だよね。

上念 確かに。たとえば、財産がなければ借換債という技を出せばいい。地方も借換債を出せばいいんですけれど。

髙橋 借換債を出すにあたっては結構スキルも必要だから、案外地方ではできないという議論もあるんだよね。それはそれでしょうがない。できないのに無理にやらしたら本当に酷いことになるから、無理しないほうがいいかもしれない。

地方債の金利の自由化も、地方債を発行できるところは少なかったから、東京都とか、政令指定都市とか、大きな県とかだけだった。できると踏んだところでしかやらなかったんだよね。

こういうのはなかなか難しいもので、新しい話だからとんでもないことを言ってくる首長がいるんだ。私は太田さんに言われたよ。「大阪府がこれで破綻したらどうするんですか」って。「しませんけれど」って私は返したけれど(笑)。

上念 まあ金利を自由化して「破綻する」と喚くのはよくあるパターン、常套句ですからね。

髙橋　よくあるパターン。大騒ぎする人を説得するのは、また大変なんだよ。そのときの総務省の地方債課長が平嶋彰英という人だった。その彼に私は、「今金利が一定だろう。誰がいじっているんだ。だれかな」と迫った。

上念　「お前が操作しているんだろう?」ってことですね。金利操作なんかしていたら、手が後ろに回るぞって、注意したのですね。

髙橋　「役人が談合指導をしたらダメ。民間金融機関と調整していると聞いている」「役人は違法行為はダメ。金利カルテルは独禁法違反になる」と。彼の顔が真っ青になった。

上念　証拠が出ていましたね。誰かが調整しなければ地方債の金利が一定になるわけはないですからね。

読者の皆さんはこれが大犯罪だということをよくわからないかもしれませんが、かつて短期金利の国際指標であるロンドン銀行間取引金利（ＬＩＢＯＲ）という基準金利があったとき、派手な談合をやらかして、担当者、金融機関が全員捕まって、とんでもない罰金を取られたあと、ＬＩＢＯＲは廃止になりましたもんね。

髙橋　私はこう言った。「カルテルを一緒にやっている民間の金融機関の連中は口が堅くはないから、みんな吐くよ」（笑）。皆、自分が捕まるくらいだったら正直に言うよ。民間の金融機関の人々なんてそんなもんだよ。

それは実は大蔵省スキャンダルのときにわかったんだよな。大蔵省スキャンダルで検察が民間の金融機関の人々に聞くでしょう。「誰を接待したんだ?」と。もちろん検察は真相を知っている。「吐かなかったらお前を逮捕するぞ」と脅せば、すぐにみんな吐いてしまうよ。そりゃそうだろう、自分が捕まるぐらいだったら誰を接待したかは言っちゃうよ。

上念 河井克行議員が逮捕されたパターンですね。

髙橋 この勝負は結構簡単で、「総務省地方債課長が民間とカルテルを組んでいる」と公取に電話をしようとしたら、奴は観念した。それで地方債の金利カルテルはなくなったけれど、金利の自由化はまだまだ広がっていない。残念だね。

おわりに

編集者からの依頼は「文系バカが、数字を読めるようになるため、どうすればよいか」だ。

その前に、この本の作成過程をばらしてしまおう。はじめに対談、その後に校正し、最後に図表を入れている。ほとんどの本の作成過程と同じで、最後に図表だ。実は、筆者の思考過程は真逆で、最初に図表ができ、その後にその説明として文章を作っている。

一般の本では、読者が読みにくいという不思議な理由で図表が少なく、文章ばかりだ。それらの本の筆者の中には、思考過程では図表があるものの、出版社の事情により図表を削除することもあるだろうが、それらは例外で、思考過程で図表がなく、いきなり文章という場合が少なくないという。

ここが、筆者がかねて言っている「ド文系」なのだ。図表を作るのは、数量的な客観的な「分析」のためだ。それなしで、いきなり文章、すなわち「意見」となるのが、一般本だ。

いきなり「意見」という人は、実は「分析」が出来ない人に多い。文系学者では図表を自分で書けないという人は結構多い。そういう人は「分析」を出来ないので、いきなり「意見」になる。

分析をして意見というまともな過程にするのに、一番手っ取り早い方法は、図表を作成することだ。筆者の大学の講義では、図表を作成させることを課題としている。

筆者の本では、図表がいつも多く、出版社泣かせという。ただし、出典は必ず明記しており、第三者が再現することも可能だ。筆者の場合、図表はほとんど自分で作成している。他人の図表でも、きちんとした図表であれば再現可能であるので、検証の意味を含めて、筆者は自分で再構成している。

実は、図表は情報量が多く、語学の障壁もないので、外国語の文献を読むときにもとても便利だ。トマ・ピケティの『21世紀の資本』は英語版で700ページの大著であるが、200程度の図表だけを「読めば」、ほとんど理解できる。

あの本の解説は多く出されたが、資本収益率（r）の「r」を別の文字に勘違いしたものなど、ほとんど図表を読めない「ド文系」の意見ばかりで解説のない本ばかりだったのには笑った。

いずれにしても図表を読むため能力向上には、図表を作ることが最善の方法である。

この本の編集過程でも、筆者の作成した図表をアップデートしてくれとの依頼があったが、図表のアップデートは、図表作成の第一歩だ。編集者からの依頼は、自分たちへのアドバイスをくれということだったのか（笑）。

いずれにしても、ただ文章を読み、筆者の「意見」が何かを探るだけではなく、筆者の「分析」を読み取るようにしたらどうか。そのことが、より数字を読めるように読者のリテラシーを高めるに違いない。そうなると、「分析」のない本には目もくれなくなるだろう。そのために、本書が一助となれば幸いだ。

髙橋洋一

著者略歴

髙橋洋一（たかはし・よういち）

数量政策学者。株式会社政策工房代表取締役会長、嘉悦大学教授。1955年、東京都生まれ。東京大学理学部数学科・経済学部経済学科卒業。博士（政策研究）。80年に大蔵省（現・財務省）入省。1998～2001年、プリンストン大客員研究員。小泉内閣・第一次安倍内閣ではブレーンとして活躍。2008年、『さらば財務省』（講談社）で第17回山本七平賞受賞。『「日経新聞」には絶対に載らない 日本の大正解』『めった斬り平成経済史 失敗の本質と復活の条件』『髙橋洋一＆石平のデータとファクトで読み解く ざんねんな中国』〈石平氏との共著〉（以上、ビジネス社）など著書多数。YouTube「髙橋洋一チャンネル」でも発信中。

上念司（じょうねん・つかさ）

1969年、東京都生まれ。中央大学法学部法律学科卒業。在学中は創立1901年の弁論部「辞達学会」に所属。日本長期信用銀行、学習塾「臨海セミナー」勤務を経て独立。2007年、経済評論家・勝間和代氏と株式会社「監査と分析」を設立。取締役・共同事業パートナーに就任（現在は代表取締役）。2010年、米国イェール大学浜田宏一名誉教授に師事し薫陶を受ける。著書に『習近平が隠す本当は世界3位の中国経済』（講談社＋α新書）、『経済で読み解く日本史【全6巻】』『れいわ民間防衛』（以上、飛鳥新社）、『日本分断計画』（ビジネス社）など多数。

「数字に弱い」日本人の超・危険な生活

2021年12月15日　第1刷発行

著　者　髙橋 洋一　上念 司

発行者　唐津 隆

発行所　株式会社ビジネス社

〒162-0805　東京都新宿区矢来町114番地 神楽坂高橋ビル5階
電話　03(5227)1602　FAX　03(5227)1603
http://www.business-sha.co.jp

印刷・製本　大日本印刷株式会社

〈カバー・デザイン〉中村聡

〈本文組版〉茂呂田剛（エムアンドケイ）

〈営業担当〉山口健志

〈編集担当〉中澤直樹

ISBN978-4-8284-2349-4